AULA INTERNACIONAL 2

Bijlage / Supplement

AULA INTERNACIONAL 2 A2

BIJLAGE / SUPPLEMENT

Auteur Contrato de aprendizaje: Jaume Muntal
Auteurs Estrategias: Silvia López en Juan Francisco Urbán
Auteur Léxico: Ana Aristu
Didactische begeleiding: Emilia Conejo
Projectleiding en redactie: Gema Ballesteros Pretel
Layout: Aleix Tormo
Illustraties: Alejandro Milà
Vertaling: Miranda Renders

Foto's:
Estrategias Alfonso Jimenez Valero /Getty, *Autorretrato con collar de espinas y colibrí* de Frida Kahlo/www.entretantomagazine.com, Ariwasabi/Dreamstime, chandlervid85/Fotolia, Phil_Good/Fotolia, Rmarxy/Dreamstime, Oscar Espinosa Villegas/Dreamstime, Cmon/Fotolia, Gábor Kovács/Dreamstime, Kairi Aun/Dreamstime, www.cartelespeliculas.com, Sogecine/Himenoptero/UGC Images/Eyescreen/Album, Kaspars Grinvalds/Dreamstime, Voyagerix/Fotolia, Hongqi Zhang (aka Michael Zhang)/Dreamstime

© Difusión en Uitgeverij Talenland B.V. Amsterdam 2017
ISBN: 978-94-6325-0016

Herdruk: April 2020
Druk: Imprenta Mundo, Spanje

MIX
Papier van
verantwoorde herkomst
FSC® C125125

Uitgeverij Talenland
info@talenland.nl
www.talenland.nl

ÍNDICE

CONTRATO
DE APRENDIZAJE

TALEN EN IK

Je gaat beginnen met het leren van Spaans. Gefeliciteerd!
Wat is jouw relatie met talen in het algemeen en met Spaans in het bijzonder?

Naam: ....

Land: ....

Beroep: ....

Moedertaal: ....

Ik studeer Spaans, omdat ....

Daarnaast spreek ik de volgende talen:

Taal	Ik spreek het... matig / goed / heel goed	Ik gebruik het om...	Ik spreek het met...
1.			
2.			
3.			

ZES TIPS OM EEN TAAL TE LEREN

1. **We leren een taal door te oefenen. In de klas oefen je door realistische opdrachten te doen.**
Hoe leer je een taal?

In **Aula Internacional** geloven we dat je een taal leert door deze te gebruiken. En hoe gebruik je die? Door dingen te doen met de taal. We leren namelijk een taal omdat we bijvoorbeeld een reis naar Mexico willen maken, onze favoriete auteur in het Spaans willen lezen, om te kletsen met een vriend uit Guatemala of een stage te lopen bij een bedrijf in Argentinië. We hebben daarom een doel, een opdracht die we willen volbrengen en dit doel bereiken we door met andere personen daarover te praten. Daarom biedt elk hoofdstuk van **Aula Internacional** één of meerdere groepsopdrachten, zoals het organiseren van een wedstrijd, het creëren van een dagmenu, het ontwerpen van de ideale wijk en het selecteren van de perfecte kandidaat voor een vacature.

9. SOÑAR ES GRATIS

A. En parejas, imaginad que podéis crear el negocio de vuestros sueños: un restaurante, una discoteca, una galería de arte, etc. Decidid cuáles son sus características.

Qué es
Cómo se llama
Dónde está
Qué cosas / actividades hay / se hacen
Otras características

Wat vind jij daarvan?

....

....

2. De woordenschat leer je in een passende context.
Hoe leer ik de woorden om mee te praten?

De reis is je bestemming, je doel. Om deze te
bereiken, zal je woorden (soorten reizen, manieren
om te reizen, verschillende soorten verblijf, etc.),
communicatievormen (om twee plekken te vergelijken,
om je smaak en voorkeur uit te drukken) en cultuur
(interessante plekken in de Spaanstalige wereld) moeten
leren. Woorden leer je altijd binnen een bepaalde
context, want een geïsoleerde lijst met woorden leren
is moeilijk. De context zal je helpen om een persoonlijk
web van woorden te creëren.

3. Wat je zelf ontdekt, onthoud je beter.
En hoe leer ik de grammatica?

Elke opdracht vereist dat je bepaalde grammaticale constructies beheerst. Als
je bijvoorbeeld twee reisbestemmingen wilt vergelijken, moet je constructies
van vergelijking kennen. Als je je voorkeuren wilt uitdrukken, moet je
bijvoorbeeld weten dat het werkwoord *preferir* onregelmatig is. Maar in plaats
van dat wij jou alles uit gaan leggen, ga je zelf veel dingen ontdekken. Daarom
heet de grammaticasectie **Explorar y Reflexionar**, Ontdekken en Nadenken.
In de eenvoudige teksten kun je de grammatica observeren binnen de context
waarin het gebruikt wordt. Tijdens de observatie ontdek je beetje bij beetje
hoe de taal functioneert en kun je veel grammaticale regels afleiden. Maar
maak je niet druk, als je hulp nodig hebt, zullen je medestudenten en je
docent je helpen.

4. Wanneer je Spaans hoort, concentreer je dan alleen op dat wat je moet begrijpen.
Hoe werk ik met de audiofragmenten?

De audiofragmenten uit het boek lijken veel op de geluiden die je ook buiten
hoort: geklets tussen vrienden, nieuwsberichten, radio-interviews, etc.,
allemaal op een normale snelheid.

Als je daar vanaf het begin aan gewend raakt, zal je snel veel meer begrijpen.
Maar het is essentieel dat je weet dat het niet belangrijk is om elk woord te
begrijpen, maar dat je de informatie die je nodig hebt om de opdracht op te
lossen uit het fragment kunt halen.

Wat vind jij daarvan?

....

....

5. De plaatjes en het soort tekst helpen je om de tekst te begrijpen.
Hoe werken de teksten?

De beste leermethode is je eigen motivatie. Dus om te lezen, moet je zin hebben om te lezen. Daarom gaan de teksten in **Aula Internacional** over thema's die ook in jouw moedertaal interessant zouden zijn. Er zijn veel verschillende soorten teksten: van aanbiedingen in winkels tot artikelen uit de krant, chatgesprekken en de menukaart van een restaurant. De vormgeving van de tekst geeft je aanwijzingen over het soort tekst en de inhoud, zodat het lezen vervolgens een stuk gemakkelijker wordt.

Onthoud dat je niet alle woorden hoeft te begrijpen, maar concentreer je op de algemene boodschap of concrete informatie. Het begrijpen van een geschreven tekst houdt niet automatisch in dat je alle woorden en uitdrukking moet begrijpen om de benodigde informatie uit de tekst te kunnen halen.

6. Wanneer je met anderen samenwerkt, kun je elkaar helpen en van de gelegenheid gebruik maken om het Spaans te oefenen.
Moet ik altijd in tweetallen of groepen werken?

Niet altijd. Er zijn fases waarin je zelfstandig moet werken om na te denken en vaardigheden op te doen. Maar vaak worden opdrachten in tweetallen of groepen uitgevoerd om situaties uit het echte leven die in tweetallen of groepen plaatsvinden na te bootsen. Door samen te werken met anderen praat je meer, kun je veronderstellingen nagaan, kennis uitwisselen en luisteren naar en leren van elkaar.

Wat vind jij daarvan?

....

....

MIJN CONTRACT

Wat denk je ervan? Lijkt het je leuk om zo te werken? Waarom verplicht je je niet formeel? Heb je nog twijfels? Waarom vraag je het niet aan je docent?

MIJN LEEROVEREENKOMST

- Ik verplicht me tot ....
....
....
....

- Ik heb nog twijfels over ....
....
....
....

- Andere opmerkingen: ....
....
....
....

Handtekening: ....

Datum: ....

OFICIAL

ESTRATEGIAS

¡YA SÉ MUCHAS COSAS!

1. ¿Qué conoces de los países hispanohablantes? Relaciona estos textos con las fotografías.

1. Un cuadro de Frida Khalo ....
2. El calendario azteca ....
3. Una paella ....
4. Una playa de la República Dominicana ....
5. La escritora Isabel Allende ..A...

6. La Amazonía ....
7. La fiesta de Santo Tomás (Guatemala) ....
8. El carnaval de Tenerife ....
9. La salsa ....
10. Unos nachos con guacamole ....

ESTRATEGIA: Ya conoces muchas cosas de España y de Latinoamérica. Saber más cosas puede ayudarte a comunicarte mejor con hispanohablantes y a aprender mejor el español.

AHORA PRUEBA TÚ: Piensa qué más te gustaría saber sobre las culturas hispanas. Pregúntale a tu profesor y busca información en internet.

2. ¿Qué te interesa más de los países hispanohablantes? Coméntalo con tu compañero.

ESTRATEGIAS

¿CÓMO ME SIENTO?

3. Lee estos testimonios de algunos estudiantes de español. Marca aquellos con los que te identificas. Luego pregunta a tu compañero y hablad sobre ello.

Testimonios	Yo	Mi compañero
"El español es bastante fácil."		
"Me encanta esta actividad."		
"No me gusta salir a la pizarra."		
"¡Otra vez los pasados!"		
"¡Mi grupo lo ha hecho muy bien!"		

ESTRATEGIA: A veces, cuando aprendemos una lengua extranjera, nos desanimamos. No te preocupes: ¡Nos pasa a todos, es normal! En esos momentos, piensa en qué cosas te gustan del español todo lo que has aprendido hasta ahora.

AHORA PRUEBA TÚ: Comentad entre compañeros algo difícil de aprender español. ¿Os pasa lo mismo? Intentad pensar en positivo.

¿DÓNDE ESTOY? ¿ADÓNDE VOY?

4. A. Piensa qué palabras conoces para expresar emociones, tanto positivas como negativas. Comparte esas palabras con tu compañero.

Emociones positivas

Emociones negativas

ESTRATEGIA: Este libro te plantea muchas situaciones de comunicación habituales. Puedes aprender mejor si piensas qué sabes expresar ya en español para esa situación. Así identificarás más claramente los nuevos contenidos.

AHORA PRUEBA TÚ: Escoge una actividad de la unidad 1 del Libro del alumno. Piensa si la podrías hacer con el español que ya sabes. Seguramente no la podrás hacer de forma completa, pero sí una parte de ella. ¡Inténtalo!

B. Ahora piensa en tu lengua qué otras palabras te gustaría aprender relacionadas con este tema. Escríbelas en una lista. Después, haz la actividad 3 de la página 13 del Libro del alumno.

ESTRATEGIA: Puedes aprender mucho más si planificas qué te gustaría saber. Ponte objetivos y piensa, después de hacer las actividades, si los has alcanzado. ¿Qué has aprendido?

AHORA PRUEBA TÚ: Si después de hacer la actividad hay algo más que quieres decir en español, pregúntale a tu profesor. ¡No te quedes con la duda!

ESTAMOS EN CAMINO. ¡HAZ HIPÓTESIS!

5. A. ¿Sabes algo sobre el cine de los países hispanohablantes? Lee el siguiente texto sobre un director español. Hay dos palabras que no pueden leerse. Fíjate en las palabras de alrededor y piensa qué pueden significar y por qué.

Alejandro Amenábar

Nació en Santiago de Chile en 1972. Al año siguiente, sus padres se fueron a vivir a Madrid. En 1990 empezó a estudiar Imagen y Sonido en la Universidad Complutense de Madrid, pero no terminó los estudios. En 1996 estrenó su primer (1) ████████, *Tesis*.

Sus películas más famosas llegaron poco después. En 1997 realizó su segunda película, Abre los ojos, que fue un gran ████ tanto de público como económico. Más tarde, Tom Cruise compró los (2) derechos de la película para hacer *Vanilla Sky* (2001).

1. "En 1996 dirigió su primer ████████, *Tesis*". La palabra tachada es...

- un tipo de estudios.
- un sinónimo de *película*.
- un sinónimo de *libro*.

2. "En 1997 realizó su segunda película, *Abre los ojos*, que fue un gran ████ tanto de público como económico". La palabra tachada...

- es un sinónimo de *película*.
- quiere decir que mucha gente fue a ver la película y que con ella se ganó mucho dinero.
- se refiere a un actor famoso.

B. Lee las soluciones. ¿Has acertado? ¿Qué otras palabras del texto te han ayudado a descubrir el significado?

ESTRATEGIA: Cuando estudiamos una lengua extranjera, lo normal es encontrarnos continuamente con palabras que no conocemos. Muchas veces podemos hacer hipótesis sobre su significado. De esta manera mejorará nuestra comprensión y podremos comunicarnos más fácilmente con personas que hablan español.

AHORA PRUEBA TÚ: Mira la primera unidad del libro y señala una palabra que no conoces. Intenta descubrir qué significa con la ayuda de su contexto: el tema, palabras que la rodean, etc. Después búscala en un diccionario. ¿Has acertado?

6. A. En el siguiente texto aparecen dos palabras en negrita que seguramente no conoces, pero quizás se parecen a palabras de tu idioma o de otras lenguas. Intenta adivinar qué significan.

> Muchas personas en todo el mundo estudian español para ver las películas de Almodóvar o Buñuel en **versión original**.

Versión original significa que...

1. las películas están en la lengua de origen, es decir, en este caso en español.

2. las películas son creativas y originales.

3. las películas son una versión moderna de otra más antigua.

B. Lee las soluciones. ¿Has acertado? ¿Qué te ha ayudado?

ESTRATEGIA: Muchas veces no conocemos una palabra, pero sí una relacionada con ella o que se parece a ella en otro idioma. ¡Eso también te puede ayudar!

AHORA PRUEBA TÚ: Vuelve a leer el texto del apartado anterior. ¿Encuentras palabras similares en español o en otros idiomas?

ESTAMOS EN CAMINO. ¡DESCUBRE!

7. A. Pablo habla de su vida. ¿Qué crees que dice sobre su época en la escuela? ¿Y sobre su época en la universidad?

La escuela   Pablo, 42 años   La universidad

B. Ahora relaciona cada texto con su imagen. ¿Es parecido a lo que habías pensado?

ESTRATEGIA: Puedes aprender mucho si intentas anticipar el contenido de los textos y las actividades.

1. Cuando era niño no me gustaba ir a la escuela.

2. A los 18 años fui a la universidad. Allí comenzó todo.

AHORA PRUEBA TÚ: Mira la imagen de las páginas 46 y 47 del Libro del alumno e imagina qué dicen o hacen las personas. Luego haz la actividad B de la página 46. ¿Te ha ayudado pensar antes sobre la imagen?

8. A. María acaba de aterrizar y no encuentra su maleta. Lee lo que le cuenta a un trabajador del aeropuerto.

"Sí, era una maleta roja con ruedas. No muy grande. La verdad es que no recuerdo la marca, pero la puedo reconocer si la veo. Mmm, a ver… En la maleta había sobre todo ropa porque voy a pasar el fin de semana en el campo, en casa de unos amigos. Llevaba ropa cómoda para pasear por el campo: unas zapatillas, pantalones vaqueros, un par de camisas y un jersey. También había unas gafas de sol y un neceser con un cepillo de dientes. Ah, por supuesto, llevaba mi cámara de fotos y todo el equipo fotográfico: el trípode, todo. Ah, y también llevaba el bañador y crema solar."

B. ¿Qué cosas quería hacer María ese fin de semana en el campo? ¿Por qué lo sabes? Subráyalo.

C. Completa el siguiente esquema con palabras del apartado A y otras que conozcas.

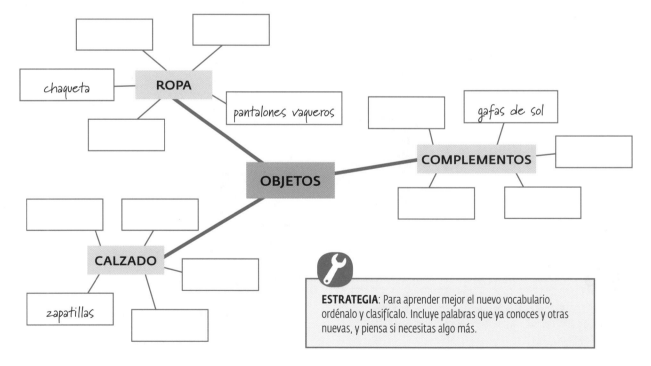

ESTRATEGIA: Para aprender mejor el nuevo vocabulario, ordénalo y clasifícalo. Incluye palabras que ya conoces y otras nuevas, y piensa si necesitas algo más.

ESTRATEGIAS

SE APRENDE A HABLAR HABLANDO

9. Las siguientes expresiones se utilizan a menudo para hablar en clase. Elige dos y escribe un diálogo en donde puedes usarlas.

- No entiendo muy bien, ¿lo puedes explicar otra vez, por favor?
- Me gusta mucho tu ejemplo, ahora entiendo.
- ¿Puedes darnos otro ejemplo, por favor?
- ¿Qué palabras utilizan los españoles en esta situación?
- ¿Puedo abrir la ventana, por favor? Hace calor.
- ¿Me prestas un bolígrafo?

ESTRATEGIA: Aprovecha todas las oportunidades para practicar dentro y fuera de clase. No tengas miedo a los errores; son parte del aprendizaje.

AHORA PRUEBA TÚ: Escribe dos preguntas más que puedes hacer en clase.

10. Imagina que te has perdido en una ciudad hispanohablante y quieres volver a tu hotel. ¿A quién le puedes preguntar? ¿Qué le preguntas a esa persona?

ESTRATEGIA: Imaginar circunstancias en las que tienes que hablar español te puede ayudar a ensayar situaciones y a estar más tranquilo.

AHORA PRUEBA TÚ: Imagina que estás en una fiesta y quieres conocer a alguien. Intenta preparar una conversación completa. ¿Con quién vas a hablar? ¿Qué vas a decirle exactamente?

GLOSARIO
POR UNIDADES

WOORDENLIJST BIJ

De methode *Aula Internacional* is ontwikkeld om Spaans te leren door de taal voortdurend te gebruiken. Een taal leer je immers het beste vanuit de taal zelf. Een aantal woorden ken je al, andere woorden zijn vergelijkbaar in het Nederlands. Nieuwe woorden in *Aula Internacional* bieden we aan naast een plaatje of in een context, daardoor heb je meestal ook bij onbekende woorden geen vertaling nodig.

Bij het leren van een nieuwe taal is het daarnaast belangrijk om creatief verbanden te leggen met woorden die je al geleerd hebt (uit **Alemania** leid je **alemán** af), of met Nederlandse synoniemen (**het gesprek** = **de conversatie** = **la conversación**) of woorden uit andere talen (**the flowers** = **las flores**, **l'église** = **la iglesia**).

Een woordenlijst is daarnaast nooit compleet: je zult veel praten over je eigen omgeving, bijvoorbeeld over waar en hoe je woont, over je familie en je vrienden, over je hobby's of je werk. Je ontwikkelt daardoor gaandeweg je eigen woordenschat. Omdat we niet alle mogelijke woorden kunnen aanbieden hebben we in de woordenlijst na elke unidad ruimte opengelaten zodat je je eigen woorden toe kunt voegen.

Een woordenlijst is daarbij natuurlijk handig: je kunt snel een woord opzoeken, of misschien wil je wel ouderwets woorden 'stampen'. In dat geval is het belangrijk om te weten dat wij (om de redenen die we hierboven beschrijven) een beperkte woordenlijst bieden – niet alles hoef je te vertalen om een taal te leren! Gebruik deze woordenlijst dus als basis om je eigen woordenlijst samen te stellen, en ga daarnaast vooral uit van slimme leerstrategieën.

Om het nog gemakkelijker te maken, hebben wij de woordenlijsten ook op onze website gezet: je kunt ze zo zelf bewerken of eventueel uploaden in een digitaal oefenprogramma.

¡Te deseamos mucho éxito!

De woorden zijn gerangschikt op volgorde van de pagina waarop ze voor het eerst voorkomen. Een alfabetische woordenlijst is beschikbaar via www.talenland.nl.

ALGEMENE TERMEN

Español	Neerlandés	Inglés
el presente (de indicativo)	de tegenwoordige tijd	the present simple
reflexivo	wederkerend	reflexive
el infinitivo	het hele werkwoord	the infinitive
la conjugación	de vervoeging	the conjugation
(ir)regular	(on)regelmatig	(ir)regular
singular	enkelvoud	singular
plural	meervoud	plural
pronominal	wederkerend	pronominal
el nombre	het zelfstandig naamwoord	the noun
el adjetivo	het bijvoeglijk naamwoord	the adjective
el pretérito indefinido	de onbepaald verleden tijd	the past simple tense
el marcador temporal	de tijdsaanduiding, signaalwoorden van tijd	the tense
la preposición	het voorzetsel	the preposition
conjugar	vervoegen	to conjugate
la terminación	de uitgang (van bijvoorbeeld een werkwoord)	the ending
la forma verbal	de werkwoordsvorm	the verbal form
el pretérito perfecto	de voltooid tegenwoordige tijd	the past perfect
la raíz	de stam	the root
el comparativo	het vergelijkwoord	comparative
el (pronombre) posesivo	het bezittelijk voornaamwoord	the possessive pronoun
tónico	beklemtoond	emphasized
el gerundio	het verbaal substantief (gerundium)	the gerund

el condicional	de voorwaardelijke wijs (conditionalis)	the conditional tense
el tiempo verbal	de werkwoordstijd	the verb tense
el participio	het voltooid deelwoord	the past participle
el pronombre personal	het persoonlijk voornaamwoord	the personal pronoun
el objeto directo (OD)	het lijdend voorwerp	the direct object
el sustantivo	het zelfstandig naamwoord	the noun, the substantive
el conector	het voegwoord	the conjunction
masculino	mannelijk	masculine
feminino	vrouwelijk	feminine
el (pronombre) demostrativo	het aanwijzend voornaamwoord	the demonstrative pronoun
el determinante	de determinator	the determiner
el artículo	het lidwoord	the article
el pasado (de indicativo)	de verleden tijd	the past tense
el imperativo	de gebiedende wijs	the imperative
afirmativo	bevestigend	affirmative
el pretérito imperfecto	de onvoltooid verleden tijd	the imperfect tense
el cambio vocálico	de klinkerwisseling	the vowel change
la sílaba	de lettergreep	the syllable

1. EL ESPAÑOL Y TÚ HET SPAANS EN JIJ
SPANISH AND YOU

hacer	doen, maken	(to) do, (to) make
aprender	leren	(to) learn
el recurso	het hulpmiddel	resource
preguntar	vragen	(to) ask
costar	moeilijk vinden	(to) find hard
sentirse	zich voelen	(to) feel
para	voor, om te	to
porque	omdat	because
desde	vanaf, sinds	from, since
(in)seguro	(on)zeker	(in)secure

1. CUATRO LENGUAS EN CASA VIER TALEN IN HUIS
FOUR LANGUAGES AT HOME

A. Annelien en Vasile wonen samen met hun kinderen in Madrid. Welke talen spreken ze? Annelien and Vasile live with their children in Madrid. What languages do they speak?

el abuelo	de grootvader	grandfather
materno	van moeders kant	maternal
paterno	van vaders kant	paternal

B. Ken je een soortgelijke familie? Do you know any similar families?

casado	getrouwd	married

2. TEST ORAL MONDELINGE OVERHORING ORAL TEST

A. Barbera begint vandaag met een cursus Spaans in Spanje. Op haar school moet ze een interview doen om haar niveau te weten te komen. Luister en vul het inschrijfformulier in. Today Barbara is starting a Spanish language course in Spain. At her school they give her a level test. Listen and complete the enrolment form.

conseguir	bereiken, behalen	(to) obtain, (to) achieve
tener que	moeten	(to) have to
pasar	doorbrengen	(to) pass
necesitar	nodig hebben	(to) need
el juego	het spel	game
traducir	vertalen	(to) translate
entender	begrijpen	(to) understand
pronunciar	uitspreken	(to) pronounce
la fluidez	de vloeiendheid	fluency

B. Vergelijk jouw inschrijfformulier met dat van een klasgenoot. Hebben jullie alle informatie ingevuld? Jullie kunnen nog een keer naar het interview luisteren. Compare the enrolment form with a classmate's. Do you have all the information? Listen to the interview again if necessary.

C. Stel de vragen uit het interview aan een klasgenoot en schrijf zijn/haar antwoorden op. Ask your partner the same interview questions and note down their answers.

D. Vertel de klas wat de meest interessante dingen zijn die je over je klasgenoot te weten bent gekomen. Tell the class the most interesting things you have found out about your partner.

3. ME SIENTO RIDÍCULO CUANDO HABLO ESPAÑOL
IK VOEL ME BELACHELIJK ALS IK SPAANS SPREEK I FEEL RIDICULOUS WHEN I SPEAK SPANISH

A. In dit artikel praten een paar studenten over het leren van talen. Lees het artikel en onderstreep de dingen die ook jou overkomen of waar je het mee eens bent. In this article, some students talk about learning foreign languages. Read it and underline the things that happen to you or that you agree with.

aparecer	te voorschijn komen	(to) appear
la ansiedad	de spanning	anxiety
el miedo	de angst	fear
la ilusión	het enthousiasme	enthusiasm
la diversión	het vermaak	entertainment
afectar	beïnvloeden	(to) influence
creer	geloven	(to) believe
fácil	makkelijk	easy
bastante	redelijk	quite
pasárselo (+ adjetivo)	het + *bijv. nw.* + hebben	(to) have a + *adjective* time
extranjero	buitenlands	foreign
la pizarra	het schoolbord	blackboard
además	bovendien	in addition
la vergüenza	de schaamte	shame
por eso	daarom	that's why
fatal	beroerd	terrible
delante (de)	voor	in front of
divertirse	zich vermaken	(to) enjoy oneself
saber	weten, kennen	(to) know
corregir	corrigeren	(to) correct

B. Wat denk jij? Hoe voel je je in de klas? Bespreek het met je klasgenoten. What do you think? How do you feel in class? Talk about it with your classmates.

tampoco	ook niet	neither

4. LOS NUEVOS ESPAÑOLES DE NIEUWE SPANJAARDEN
THE NEW SPANIARDS

A. Deze personen wonen om verschillende redenen in Spanje. Lees de teksten en besluit wie jij beter vindt leven. Beargumenteer waarom. These people live in Spain for different reasons. Read the texts and decide who of them has the best life. Justify your choice.

sueco	Zweeds	swedish
hace (+ indicación temporal)	*tijdsaanduiding* + geleden	*time frame* + ago
cerca de	dichtbij	close to
el canto	de zang	singing
enseñar	lesgeven	(to) teach
levantarse	opstaan	(to) get up
desayunar	ontbijten	(to) have breakfast
ver	zien	(to) see
querer	willen	(to) want
volver	terugkeren	(to) return
pensar	denken	(to) think
el clima	het klimaat	climate
viajar	reizen	(to) travel
sino	maar	but
de momento	op het moment	for the moment
dominar	beheersen	(to) master
sin embargo	echter	however
reconocer	erkennen	(to) acknowledge
aún	nog steeds	still
todavía	nog steeds	still
confundir	verwarren	(to) confuse
la beca	de beurs	scholarship
ir	gaan	(to) go
pasear	wandelen	(to) walk
salir	uitgaan	(to) go out
quedarse	blijven	(to) stay
poder	kunnen, mogen	(to) be able to, can
el rincón	het hoekje	corner

B. De dikgedrukte woorden in de tekst staan in de tegenwoordige tijd. Weet jij wat het bijbehorende infinitief is? Schrijf ze op in je schrift. In the text, the verbs in bold are in the present tense. What is the infinitive? Write it in your workbook.

C. Hier staat een werkwoord dat regelmatig vervoegd wordt. Welke van de voorgaande werkwoorden worden net zo vervoegd? En welke niet? Here is one regular verb from each conjugation. Which of the previous verbs are like the ones in the box? And which ones aren't?

D. Rangschik de onregelmatige werkwoorden die in te tekst voorkomen op basis van het type onregelmatigheid. Classify the irregular verbs that appear in the text according to their type of irregularity.

5. HACE DOS AÑOS QUE ESTUDIO ESPAÑOL IK STUDEER AL TWEE JAAR SPAANS I'VE BEEN LEARNING SPANISH FOR TWO YEARS

A. Bekijk de dingen die Naomi heeft gedaan vanaf 2005 tot nu en vul de zinnen aan. Look at the things that Naomi has done since 2005 and complete the sentences.

trasladarse	verhuizen	(to) move

B. Vul nu de zinnen aan over jezelf. Now complete the sentences for you.

6. ME CUESTA HET KOST ME MOEITE IT'S TOUGH

A. Lees de problemen van deze studenten door. Met welke identificeer jij je het meest? Read these learners' problems. Which ones do you identify most with?

acordarse	zich herinneren	(to) remember
la entonación	de intonatie	intonation
cometer	begaan	(to) commit

B. Welke problemen heb jij? What problems do you have?

C. Welke adviezen zijn het meest geschikt voor de studenten van A? Which of the following pieces of advice is best for the learners in section A?

la película	de film	movie
la canción	het lied	song
muchas veces	vaak	often
grabar	opnemen	(to) record
perder	verliezen	(to) lose
preocuparse	zich zorgen maken	(to) worry about
intentar	proberen	(to) try
mirar	kijken	(to) look at
ayudar	helpen	(to) help

7. DIME CÓMO APRENDES Y... VERTEL ME HOE JIJ LEERT EN... TELL ME HOW YOU LEARN, AND...

A. Welke dingen kun je doen om Spaans te leren? Werk in tweetallen en maak zinnen door de onderstaande woorden te combineren. What things can you do to learn Spanish? In pairs, write sentences that combine the following chunks (try to use all of them).

buscar	zoeken	(to) look for
pegar	plakken	(to) stick
el mensaje	de boodschap	message
el periódico	de krant	newspaper
el intercambio	de uitwisseling	exchange
el diario	het dagboek	diary
en voz alta	hardop	aloud
la pared	de muur	wall
el nativo	de moedertaalspreker	native

B. Jullie besluiten nu welke van de manieren die jullie hebben opgeschreven het meest bruikbaar zijn om een taal goed te kunnen leren. Kunnen jullie nog een andere manier toevoegen? Now decide which of the things you have written are most useful for learning a language well. Can you add anything to the list?

útil	nuttig	useful

C. Leg aan jullie klasgenoten uit welke drie dingen voor jullie het belangrijkste zijn. Now tell your classmates the three most important ones for you and your partner.

GRAMÁTICA GRAMMATICA GRAMMAR

pedir	vragen, verzoeken	(to) request
vestirse	zich aankleden	(to) get dressed
conducir	rijden	(to) drive
poner	leggen	(to) put
ya	al	already

8. MI BIOGRAFÍA LINGÜÍSTICA MIJN TAALKUNDIGE BIOGRAFIE MY LINGUISTIC BIOGRAPHY

A. Je gaat luisteren naar Ana die vertelt over talen waarmee ze in contact komt. Maak aantekeningen in het schema hieronder. You are going to hear Ana talking about the languages that she's in contact with. Take notes on the table below.

usar	gebruiken	(to) use
el polaco	het Pools	Polish

B. En jij? Met welke talen komt jij in contact? Schrijf jouw taalkundige biografie op een blaadje en denk hierbij ook aan de onderstaande omgevingen. And what languages are you in contact with? On a separate sheet, write down your linguistic biography making reference to the following areas:

C. De docent verdeelt nu de biografieën en in groepjes lezen jullie het briefje dat jullie gekregen hebben. Weten jullie van wie welke biografie is? Now your teacher will hand out all the biographies. In groups, read the ones you've been given. Can you work out who wrote each biography?

la lengua materna	de moedertaal	mother tongue
alguno	(een) enkele	some
encantar	heel leuk vinden	(to) love

9. ¿CÓMO APRENDES? HOE LEER JE? HOW DO YOU LEARN?

Lees de volgende tekst over leerstijlen en markeer met welke je je meest identificeert. Bespreek dit daarna met je klasgenoten. Read the following text about learning styles and mark which one(s) you identify with most. Then comment on it with your classmates.

distinto	verschillend	different
el campo	het veld	field
(in)dependiente	(on)afhankelijk	(in)dependent
cómodo	comfortabel	comfortable
dar importancia a	belang hechten aan	attach importance to
la corrección	de correctheid	correctness
en cambio	daarentegen	whereas
cinestésico	kinesthetisch	kinesthetic
retener	onthouden, vasthouden	(to) retain
moverse	zich bewegen	(to) move oneself
desordenado	ongeordend, in de war gebracht	disorganised
el mural	de muurschildering	mural
el esquema	het schema	diagram

10. PARA APRENDER ESPAÑOL... OM SPAANS TE LEREN... IN ORDER TO LEARN SPANISH, ...

A. Jullie gaan in tweetallen een vragenlijst maken om erachter te komen hoe jullie klasgenoten leren en welke problemen ze tegenkomen. In pairs, you're going to produce a questionnaire to find out what learning strategies your classmates use, and what challenges they face.

fuera (de)	buiten	outside

B. Nu gaan jullie je vragen stellen aan twee klasgenoten. Noteer hun antwoorden. Now interview two classmates, and note down their answers.

C. Bedenk welke tips je ze kunt geven en maak voor allebei een formulier met jullie adviezen. Decide what advice you could give them and create an index card with your recommendations for each person.

11. NOMBRES DE LA CULTURA HISPANA NAMEN UIT DE SPAANSE CULTUUR BIG NAMES IN THE HISPANIC WORLD

A. Welke personages uit de Spaanse cultuur zijn voor jou het belangrijkst? For you, who are the most important names in Hispanic culture?

a veces	soms	sometimes
acercarse	benaderen	(to) approach

B. Lees de tekst. Kun je de personages koppelen aan hun beroepen? Read the text and match the names with the fields they work/worked in.

el pintor	de schilder	painter
el/la dibujante	de tekenaar(ster)	draughtsman, draughtswoman
el/la cantante	de zanger(es)	singer

C. En jij? Leer jij Spaans om een van de redenen die in de tekst genoemd zijn? What about you? Are you learning Spanish for any of the reasons mentioned in the text?

D. Search information on the Internet about one of the names and then present him/her to your classmates. Zoek op het internet informatie over één van de personages en presenteer deze informatie later aan je klasgenoten.

2. UNA VIDA DE PELÍCULA EEN LEVEN UIT DE FILM JUST LIKE A MOVIE

relatar	vertellen, rapporteren	(to) tell
el acontecimiento	de gebeurtenis	occurrence
el inicio	het begin	beginning
hasta	tot	until
durante	gedurende	during

1. FUERON LOS PRIMEROS HET WAREN DE EERSTEN THEY WERE THE FIRST

Bekijk de reportage. Weet je wat deze personen hebben gedaan? Bespreek het met een klasgenoot. Look at the reports. Do you know what these people did? Talk about it with your classmates.

ganar	winnen	(to) win
superar	overtreffen, hier: verbreken	(to) surpass
pintar	schilderen, verven	(to) paint
recibir	ontvangen	(to) receive
escalar	(be)klimmen	(to) climb
casi	bijna	almost
desconocido	onbekend	unknown
la mayoría	de meerderheid	majority

2. UNA INFORMACIÓN FALSA VALSE INFORMATIE FALSE INFO

A. Hieronder staan vier kaarten uit een vraagspel. Op elke kaart staat een fout gegeven. Vind, in tweetallen, de foute gegevens op elk kaartje. Here are four quiz cards. In each of them, one piece of information is wrong. In pairs, find which one it is.

el anillo	de ring	ring
obtener	behalen	(to) obtain
llegar	aankomen	(to) arrive
morir	dood gaan	(to) die
terminar	eindigen	(to) end
la gira	de tour, ronde	tour
el éxito	het succes	success
acabar	afmaken	(to) finish

B. Controleer op het internet of jullie alle valse gegevens gevonden hebben. Check on the Internet if you have found the wrong statements.

3. ALEJANDRO AMENÁBAR ALEJANDRO AMENÁBAR ALEJANDRO AMENÁBAR

A. Weet je wie Alejandro Amenábar is? Heb je een van zijn films gezien? Overleg in tweetallen en lees vervolgens de tekst. Do you know who Alejandro Amenábar is? Have you seen any of his films? Talk about it with your classmates. Then read the text.

nacer	geboren worden	(to) be born
antes	voor	before
el golpe de Estado	de staatsgreep	coup d'etat
estrenar	in première gaan	(to) premiere
el largometraje	de langspeelfilm	full-length film
el/la protagonista	de hoofdpersoon	leading role
después	daarna, later	after
tratar	behandelen	(to) treat
el siglo	de eeuw	century
narrar	vertellen	(to) tell

B. Je gaat luisteren naar een radioprogramma over de bioscoop. Vandaag gaat het over Amenábar. Naar welke film verwijzen de gegevens? You're going to listen to a radio programme about cinema. Today they're talking about Amenábar. Which film does each piece of information refer to?

| rodar | opnemen (van film) | (to) roll (film) |

4. EN 2006 HICE UN VIAJE DE TRES MESES POR ÁFRICA IN 2006 HEB IK DRIE MAANDEN DOOR AFRIKA GEREISD IN 2006 I TRAVELLED AROUND AFRICA FOR THREE MONTHS

A. Een tijdschrift heeft aan haar lezers gevraagd of ze hun ongelofelijke ervaringen wilden delen. Welke lijkt je het meest interessant? A magazine asked its readers to share their incredible experiences. Which seems the most interesting to you?

la mochila	de rugzak	backpack
el barco	de boot	boat
pisar	betreden	(to) step on
luego	daarna	afterwards, later

B. Vul de vetgedrukte vormen uit de vorige activiteit in de het schema in. Complete the chart with the forms in bold in the previous activity.

C. Welke verbuigingen hebben dezelfde uitgangen in de pretérito indefinido? Which two conjugations have the same ending in the pretérito indefinido?

D. In twee gevallen is de uitgang in de tegenwoordige tijd precies hetzelfde. Welke twee zijn dit? In two cases, the form is the same as the presente indicativo. Which ones?

E. Ken jij mensen met interessante ervaringen? Schrijf er een paar zinnen over op een lees ze daarna aan een klasgenoot voor. Do you know anyone who has had interesting experiences? Write some sentences and then tell a partner.

| el bisabuelo | de overgrootvader | great-grandfather |

5. AYER, HACE UN MES GISTEREN, EEN MAAND GELEDEN YESTERDAY, A MONTH AGO

A. Lees deze zinnen en geef aan met welke informatie je het eens bent. Bespreek je antwoorden daarna met een klasgenoot. Read these sentences and tick which things are also true for you. Then tell a classmate about it.

acostarse	gaan slapen	(to) go to sleep
cobrar	uitbetaald krijgen	(to) be paid
el sueldo	het loon	salary
casarse	trouwen	(to) marry

B. Geef in de voorgaande zinnen waar je een pretérito perfecto of een pretérito indefinido tegenkomt. Schrijf vervolgens, in de tabel hieronder, op welke signaalwoorden er bij elke vorm gebruikt worden. In the preceding sentences, mark which ones are in the pretérito perfecto and in the pretérito indefinido. Then write in the box the time adverbials that are used with each one.

6. UN CURRÍCULUM EEN CURRÍCULUM VITAE A CV

A. Lees het cv van Nieves en vul de informatie aan. Read Nieves's CV and complete the sentences.

avanzado	gevorderd	advanced
amplio	uitgebreid	broad
el conocimiento	de kennis	knowledge

B. Begrijp je de vetgedrukte woorden? Vertaal ze naar jouw taal. Do you understand the words in bold? Translate them into your language.

7. UNA HISTORIA DE AMOR EEN LIEFDESVERHAAL A LOVE STORY

A. Maak het verhaal compleet door de ontbrekende uitdrukkingen in te vullen. Complete the story with the missing expressions.

enamorarse	verliefd worden	(to) fall in love
quedar	afspreken	(to) arrange to meet
despertarse	ontwaken	(to) wake up

B. Wat gebeurde er daarna? Bedenk het einde van het verhaal in tweetallen. What happened afterwards? Write, in pairs, the end of the story.

GRAMÁTICA GRAMMATICA GRAMMAR

anteayer	eergisteren	the day before yesterday
anoche	gisteravond/nacht	last night

8. EL "CHE" DE "CHE" CHE

A. Ernesto Guevara is een van de bekendste mensen uit de Spaanstalige wereld. Weet je iets over zijn leven? Bediscussieer in tweetallen welke van de volgende dingen jullie denken dat waar zijn. Ernesto Guevara is one of the best-known figures in the Hispanic world. Do you know anything about his life? In pairs, predict which of these things are true.

el cargo	de functie	function
el gobierno	de regering	government
el movimiento	de beweging	movement
la juventud	de jeugd	youth

B. Lees nu deze bibliografie over Che Guevara en controleer je veronderstellingen. Now read this biography of "Che" Guevara and check your predictions.

determinante	bepalend	decisive
dirigirse	zich begeven	(to) head for
apoyar	steunen	(to) support
la lucha	de strijd	battle
asesinar	vermoorden	(to) kill
el ejército	het leger	army
enterrar	begraven	(to) bury

C. Kies in tweetallen een deel uit het leven van Che Guevara uit en zoek meer informatie over wat hij in die periode deed. Daarna presenteren jullie aan de rest van de klas wat jullie te weten zijn gekomen. Samen kunnen jullie zijn biografie uitbreiden. In pairs, choose a stage of Che Guevara's life and find more information about what he did then. By working all together you can enlarge his biography.

D. Kies een personage uit de geschiedenis van jouw land en bereid een kleine presentatie voor de klas over hem/haar voor. Choose a famous person from your country's history and do a brief presentation about him/her for your class.

9. TODA UNA VIDA EEN LEVEN LANG A WHOLE LIFE

A. Verónica is een Argentijns meisje dat in Spanje woont. Luister naar wat ze vertelt over haar leven. Wat heeft ze op elk van de volgende plekken gedaan? Maak aantekeningen in je schrift. Verónica is an Argentinean who lives in Spain. Listen to what she says about her life. What did she do in each of these places? Take notes in your workbook.

B. Schrijf de namen van de drie belangrijkste plaatsen in jouw leven op en leg aan een klasgenoot uit waarom deze plekken belangrijk voor je zijn. Write the names of the three most important places in your life, and then tell a classmate why they're important for you.

10. LA BIOGRAFÍA DE SANDRO DE BIOGRAFIE VAN SANDRO SANDRO'S BIOGRAPHY

A. We zijn aanbeland in het jaar 2045 waarin je een biografie over een van je klasgenoten moet schrijven. Eerst moet je hem/haar vragen stellen over zijn/haar verleden en over projecten die hij/zij doet. We're in the year 2045 and you have to write a classmate's biography. First, ask them questions about their past and then about their plans for the future.

B. Nu ga je de biografie van je klasgenoot schrijven. Houd er rekening mee dat er in de komende jaren veel kan veranderen (politiek, technologie, sociaal, etc.). Now you're going to write your classmate's biography. Bear in mind that there could be a lot of changes (political, technological, social, etc) in the next few years.

C. Lees de biografie voor aan de rest. Je kunt een verhaal over je eigen leven toevoegen aan de presentatie. Read the biography to the rest of the class. You could accompany your presentation with visual information.

11. UNA NUEVA GENERACIÓN DE ACTORES Y ACTRICES
EEN NIEUWE GENERATIE VAN ACTEURS EN ACTRICES A NEW GENERATION OF ACTORS AND ACTRESSES

A. Ken je een van deze acteurs? Lees de teksten en bespreek met je klasgenoten wat ze met elkaar gemeen hebben. Do you know any of these actors? Read the text and with a partner, talk about what they have in common.

joven	jong	young
prometedor	veelbelovend	promising
último	laatste	last
renovar	vernieuwen	(to) renovate
la revelación	de onthulling	revelation
actuar	acteren	(to) act
el papel	de rol	role
taquillero	succesvol, een kassucces	successful

B. Kies in groepjes een van de acteurs uit over wiens leven je meer informatie op gaat zoeken. Bekijken vervolgens op het internet fragmenten uit de films of series waarin hij/zij gespeeld heeft. Bereid een tentoonstelling voor de klas voor. In groups, choose one of these actors and find more information about their life. Then do an Internet search for clips from films or TV series that they have worked in. Prepare a short talk for the rest of the class.

C. Is er een nieuwe generatie acteurs en actrices in jouw land? Kies er twee hiervan uit en schrijf een kleine tekst zoals het voorbeeld hieronder. Is there a new generation of actors and actresses in your county? Choose two, and then write a short text like the ones you have as models.

3. HOGAR, DULCE HOGAR HUIS, AANGENAAM HUIS HOME, SWEET HOME

amueblar	meubileren, inrichten	(to) furnish
diseñar	ontwerpen	(to) design
la coincidencia	de overeenkomst	coincidence
ubicar	lokaliseren	(to) locate
sin	zonder	without
debajo	onder	under
encima	op, boven	on, on top of
detrás	achter	behind

1. VIVIENDAS WINKELS HOUSING

A. Bekijk de woningadvertenties. Welk huis staat je het meest aan? Waarom? Look at these house ads. Which house do you like the most? Why?

la casa adosada	het rijtjeshuis	row house
alquilar	huren	(to) rent
compartir	delen	(to) share

B. In wat voor type huis woon je nu? Heb je ooit in een ander type huis gewoond? What type of house do you live in now? Have you ever lived in another kind of house?

2. PROMOCIONES INMOBILIARIAS
VASTGOEDAANBIEDINGEN REAL ESTATE DEVELOPMENT

A. In een vastgoedportaal verschijnen advertenties over huizen en appartementen die je kunt huren. Lees de onderstaande advertentie over het chalet en bekijk de plattegrond. Kun je enkele delen van het huis benoemen? These houses for sale and for rent appear on a real estate website. Read the ad for the detached house and look at the plan. Can you identify the different parts of the house?

la planta	de verdieping	floor
el recibidor	de hal	entrance hall
el despacho	de werkkamer	office
el baño	de badkamer	bathroom
el lavadero	de wasruimte (ruimte voor wasmachine en droger)	washing place
el salón-comedor	de woon- en eetkamer	living-dining room
el trastero	de berging	box room
la vista	het uitzicht	view
la oferta	de aanbieding	offer
el ático	de zolder	attic
equipado	voorzien van	equipped
la cocina americana	de open keuken	open-plan kitchen
el ascensor	de lift	elevator
luminoso	licht	light
el edificio	het gebouw	building
el encanto	de charme	charm
tranquilo	rustig	calm
listo	klaar	ready

B. Lees de andere advertenties en lees daarna de gegevens van deze mensen. Welke van de woningen is het meest geschikt voor wie? Bespreek met een klasgenoot. Read the other ads, and then read these people's profiles. Which house do you think would be best for each one? Talk about it with a partner.

la consulta	de praktijk	office
el domicilio	het woonhuis	residence
el nivel adquisitivo	de koopkracht	purchasing power
el perro	de hond	dog
nadar	zwemmen	(to) swim
medio	gemiddeld	average

el repartidor	de bezorger	deliveryman
pescar	vissen	(to) fish
el baloncesto	het basketbal	basketball

C. Zoek, in tweetallen, op een makelaarswebsite een huis of appartement in een Spaanse stad. Laat de foto's hiervan aan jullie klasgenoten zien en leg uit waarom deze woning jullie bevalt. In pairs, do an Internet search on Spanish real estate websites for a house or flat in a Spanish city. Show your classmates the photos and say why you like them.

3. INTERIORISMO INTERIEURDESIGN INTEIOR DESIGN

A. In een interieurtijdschrift staat een artikel over deze kamer. Wat vind je ervan? Bespreek met een klasgenoot. This room appears in an interior design magazine. What do you think of it? Talk about it with a classmate.

el sillón	de fauteuil	armchair
la madera	het hout	wood
el sofá	de bank	couch
la tela	de stof	fabric
beis	beige	beige
el cojín	het kussen	cushion
la mesa de centro	de salontafel	coffee table
la alfombra	het kleed	rug
la fibra vegetal	de plantaardige vezel	vegetable fibre
la lámpara de pie	de staande lamp	standard lamp
el jarrón	de vaas	vase
la estantería	de boekenkast	bookshelves
el roble	de eik	oak
el cuadro	het schilderij	painting
acogedor	knus, gezellig	warm
oscuro	donker	dark

B. Bekijk de meubels en de accessoires. Bevallen ze jullie? Welke niet? Now look at the furniture and the decoration. What do you like and not like?

C. Marta en Sebas praten over deze kamer. Schrijf op wat ze zeggen. Marta and Sebas are talking about this living room. Note down what they say.

4. LA LÁMPARA ESTÁ AL LADO DE LA TELEVISIÓN
DE LAMP STAAT NAAST DE TELEVISIE THE LAMP IS NEXT TO THE TV

A. Bekijk de twee woonkamers en lees vervolgens de beschrijvingen. Welke beschrijving past bij welke woonkamer? Look at these two living rooms and then read the descriptions. Which room does each sentence refer to?

la silla	de stoel	chair
derecha	rechts	right
izquierda	links	left
la ventana	het raam	window
entre	tussen	between
el suelo	de vloer	floor

B. Vul de zinnen aan met de vetgedrukte woorden uit de vorige opgave. Complete the sentences with some of the words in bold in the previous activity.

5. LA CASA DE JULIÁN HET HUIS VAN JULIÁN JULIAN'S HOUSE

A. Julián praat met Sara over zijn nieuwe huis. Luister en vul de zinnen aan. Julián is talking to Sara about his new house. Listen and complete the sentences.

B. Kijk naar de onderstaande fragmenten uit het gesprek en vul de tabel in. Look at these extracts from the conversation and complete the box.

ajá	aha	aha
las afueras	de buitenwijken	suburbs
el metro cuadrado	de vierkante meter	square metre
peatonal	voetgangers-	pedestrian
ruidoso	rumoerig	noisy

C. Hoe ziet jouw huis eruit? Leg uit aan een klasgenoot en vergelijk jullie woningen. What's your house like? Tell a partner and compare your two houses.

6. ESPAÑOLES EN EL EXTRANAJERO SPANJAARDEN IN HET BUITENLAND THE SPANISH ABROAD

A. Lees dit forum voor Spanjaarden die een woning in het buitenland zoeken. Zijn de aspecten waar ze het over hebben vergelijkbaar met die in jouw stad of land? Read this forum of Spaniards looking for a flat abroad. Are the things they talk about similar to your town or country?

la ayuda	de hulp	help
barato	goedkoop	cheap
gastar	(geld) uitgeven, besteden	(to) spend
la calefacción	de verwarming	heating
caro	duur	expensive
de hecho	in feite	in fact
la luz	het licht	light
allá	daar	over there
la persiana	het rolluik, rolgordijn	blinds
el barrio	de wijk	neighbourhood
lejos de	ver weg (van)	far from

B. Kijk naar de vetgedrukte structuren in de teksten. Ze worden allemaal gebruikt om te vergelijken. Zet ze op de goede plek in de tabel. Look at the structures in bold in the texts. They're all used to make comparisons. Classify them in the box.

C. Schrijf een paar zinnen op waarin je de huizen in jouw stad vergelijkt met die in een andere stad die je kent. Write sentences comparing houses in your town with those in another place that you know.

GRAMÁTICA GRAMMATICA GRAMMAR

mismo	hetzelfde	same
el cristal	het glas	glass
el hierro	het ijzer	iron
el mimbre	het rotan	wicker
la piedra	de steen	stone
la piscina	het zwembad	swimming pool
el ladrillo	de baksteen	brick

7. COSAS IMPRESCINDIBLES ONMISBARE SPULLEN ESSENTIAL THINGS

A. Jullie gaan in tweetallen in een nieuw huis wonen. Welke spullen vinden jullie onmisbaar? Kies vijf objecten uit de lijst en bedenk, of zoek op internet, nog drie andere spullen. Het budget is 1500 euro. In pairs, you're going to live in a new house. What things do you consider essential for living? Choose five of the following items and then think of three more, or search for them on the Internet. You have a budget of 1500 Euros.

el armario	de kledingkast	wardrobe
el lavavajillas	de vaatwasser	dishwasher
la lavadora	de wasmachine	washing machine
el espejo	de spiegel	mirror
la cama	het bed	bed
el frigorífico (frigo)	de koelkast	refrigerator

B. Dit is de plattegrond van de woning. Waar zetten jullie de meubelstukken neer? This is the floor plan of your flat/apartment. Where will you put each piece of furniture?

C. Leg nu aan de rest van de klas uit welke meubels en elektronische apparaten jullie hebben uitgekozen en waar jullie ze hebben neergezet. Now tell the rest of the class which pieces of furniture and appliances you've chosen, and where you've put them.

8. MI LUGAR FAVORITO MIJN FAVORIETE PLEK MY FAVOURITE PLACE

A. Deze mensen praten over hun favoriete plek in huis. Luister en vul de tabel in. Listen to these people talking about their favourite spot at home, and complete the box.

B. Wat is jouw favoriete plek in huis? Waarom? Bespreek met een klasgenoot. What's your favourite spot at home? Why? Talk about it with your partner.

C. Waar in huis doe je de volgende activiteiten? Schrijf op en bespreek daarna met een klasgenoot. In which spot at home do you do each of these activities? Write it down, and then talk about it with your partner.

los deberes	het huiswerk	homework
maquillarse	zich opmaken	(to) put on makeup
afeitarse	zich scheren	(to) shave
reunirse	samenkomen	(to) meet
echar la siesta	siësta houden	(to) have a nap

9. LA CASA IDEAL HET IDEALE HUIS THE IDEAL HOME

A. In tweetallen gaan jullie woningen ontwerpen voor een groep mensen. Kies een van de groepen. In pairs, you're going to design houses for a group of people. Choose one of these:

el jubilado	de gepensioneerde	pensioner
numeroso	talrijk	numerous

B. Besluit wat de kenmerken van de ideale woning voor dit soort mensen zijn. Decide what the ideal characteristics would be for a house for people like these.

la sierra	de berg(keten)	mountain chain

C. Maak een hierover presentatie voor je klasgenoten. Jullie kunnen ook foto's en tekeningen gebruiken. Prepare a presentation for your classmates. You can add photos or illustrations.

D. Schrijf een advertentie om jullie project aan te kondigen. Write an ad for your project.

10. CASAS CON HISTORIA HUIZEN MET EEN GESCHIEDENIS HOUSES WITH A HISTORY

A. Weet je wie Pablo Neruda, Frida Kahlo en Manuel de Falla zijn? Weet je waar ze gewoond hebben? Do you know who Pablo Neruda, Frida Kahlo and Manuel de Falla are? Do you know where they lived?

la medida	de maat	measurement
guardar	bewaren	(to) keep
el recuerdo	de herinnering	memory
convertirse en	veranderen in	(to) become
cotidiano	dagelijks	daily
la obra	het oeuvre	work
el techo	het dak	roof
encontrarse	zich bevinden	(to) find yourself
el ventanal	het grote raam	large window
el compositor	de componist	composer
exiliarse	emigreren	(to) take up exile
arriba	boven	above
marcharse	vertrekken	(to) leave
el ayuntamiento	de gemeente	council
rehabilitar	opknappen	(to) renovate
dejar	achterlaten	(to) leave

B. Lees de rapportage. In welk van de huizen zou je graag willen wonen? Waarom? Now read the report. Which of the houses would you like to visit? Why?

C. Kies in tweetallen een van de huizen uit de lijst of een huis dat jullie kennen uit en zoek afbeeldingen op het internet. Presenteer de foto's aan jullie klasgenoten. In pairs, choose one of the houses in the list or find images on the Internet. Then present it to your classmates and show them the photos.

D. Denk terug aan een huis waarin je hebt gewoond en dat speciaal voor je was. Vertel aan je klasgenoten hoe het eruit zag en waarom je er graag woonde. Think of a house where you've lived and which is special for you. Describe it to your classmates and say why you like it.

4. ¿CÓMO VA TODO? HOE GAAT ALLES/HET? HOW'S IT GOING?

desenvolverse	een gesprek voeren	(to) get on
codificado	hier: waarin vaste etiquetteregels bestaan	here: where certain manners apply
el saludo	de groet	greeting
la despedida	het afscheid	good-bye
conceder	(op)geven	(to) give (up)
el permiso	de toestemming	permission
la cortesía	de beleefdheid	politeness
importar	van belang zijn	(to) matter
dar	geven	(to) give
prestar	(uit)lenen	(to) lend

1. UN DOMINGO EN LA PLAZA EEN ZONDAG OP HET PLEIN SUNDAY IN THE SQUARE

A. Bekijk de illustratie. Wie doet wat? Look at the illustration. Who's doing each of these things?

pedir	hier: bestellen	here: (to) order
despedirse	afscheid nemen	(to) say goodbye
charlar	kletsen	(to) chat

B. Bij welke twee situaties op de afbeelding horen de gesprekken? Which two situations in the illustration do these dialogues go with?

la caña	het tapbiertje	small draft beer

2. SALUDOS Y DESPEDIDAS BEGROETEN EN AFSCHEID NEMEN GREETINGS AND FAREWELLS

A. Lees de vier gesprekken. Welke foto past bij elk van de vier gesprekken? In welke foto begroeten ze elkaar. In welke nemen ze afscheid? Read these four conversations and match each one to one of the photos. In which ones are people saying hello and in which are they saying goodbye?

la cena	de avondmaaltijd	dinner
alegrarse	blij zijn met, zich verheugen	(to) be happy
el recuerdo	de groet	greeting
el abrazo	de omhelzing	hug
llamar	bellen	(to) call
quejarse	klagen	(to) complain
tirando	okay, het gaat wel	okay
por lo menos	minstens	at least

B. Ken je andere manieren om te begroeten of om afscheid te nemen? Begroet men elkaar ook op die manier in jouw land? Welke gebaren worden er gebruikt? Do you know other ways to say hello and goodbye? Do people greet the same way in your country? What gestures go with the greetings?

3. ¿ME PRESTAS 5 EUROS? KUN JE ME VIJF EURO LENEN? CAN YOU LEND ME FIVE EUROS?

A. Bekijk de illustraties. Welke relatie denk je dat de mensen in de afbeelding met elkaar hebben? Wat denk je dat er in elke situatie gebeurt? Look at the illustrations. What relationship do you think the people have? What do you think will happen in each situation?

B. Luister nu naar de gesprekken en controleer je hypotheses. Welk van de dingen doen de hoofdrolspelers in verschillende de situaties? Geef het aan in de tabel. Now listen to the conversations and check your predictions. What things are they doing in each situation? Tick them in the box.

agradecer	bedanken, waarderen	(to) thank, (to) appreciate

4. ¿QUÉ ESTÁN HACIENDO? WAT ZIJN ZE AAN HET DOEN? WHAT ARE THEY DOING?

A. Welke afbeelding komt overeen met welke zin? Which sentences do these images go with?

demasiado	te (veel)	too (much)
esperar	wachten	(to) wait
pues	nou	well
probar	proeven, uitproberen	(to) taste
el cordero	het lam(svlees)	lamb
asar	braden	(to) roast
volar	vliegen	(to) fly
la altitud	de hoogte	height
adelgazar	afvallen	(to) lose weight

B. De zinnen hierboven verwijzen naar acties die gerelateerd zijn aan het heden, maar hebben nuanceverschillen. Focus je op de werkwoorden en vink het bijbehorende hokje in de tabel aan. The preceding sentences refer to actions connected to the present, but with different nuances. Look at the verbs in bold and mark the corresponding box in the table.

ocurrir	gebeuren, plaatsvinden	(to) happen
habitual	gebruikelijk	usual
temporal	tijdelijk	temporary

C. In sommige van de voorgaande zinnen treffen we een nieuwe structuur aan: estar + gerundio. Schrijf in je schrift de gerundio's die je ziet op en noteer ook het infinitief. Hoe wordt de gerundio gevormd? In some of the preceding sentences, there is a new construction: estar + gerundio. In your workbook, write the gerunds that appear, and next to them, write the corresponding infinitive. How is the gerund formed?

5. ESTÁN CANTANDO ZE ZIJN AAN HET ZINGEN THEY'RE SINGING

Dit is een gemeenschap van bijzondere buren. Wat gebeurt er elke woning? Schrijf het op en gebruik de volgende uitdrukkingen. In this block of flats, some of the neighbours are a bit strange. What are they doing in each apartment? Use the following expressions.

la batería	het drumstel	drum kit
peinar	kammen	(to) brush

6. PETICIONES VERZOEKEN REQUESTS

A. Bekijk de vetgedrukte uitdrukkingen. Waarvoor dienen ze: Om toestemming te geven (P) of om een gunst te vragen (F)? Look at the expressions marked in bold. What do you think they're used for: to ask permission (P) or to ask a favour (F)?

disculpe	pardon, excuseer	excuse me

B. Welk van de voorgaande vormen denk je dat het meest direct zijn? Op basis van welke factoren zou je keuze af kunnen hangen? Of the expressions you've just seen, which do you think are the most direct? What factors does choosing one over the other depend on?

7. ¿ME DEJAS O ME DAS? ME DEJAS OF ME DAS? LEND ME OR GIVE ME?

A. Bekijk de cartoons. Snap je wanneer dejar en wanneer dar gebruikt worden? Look at these cartoons. Can you work out when we use dejar and when we use dar?

devolver	teruggeven	(to) give back
tomar	nemen	(to) take

B. Lees de onderstaande zinnen en geef bij vraag aan wanneer of met welke bedoeling de vragen gebruikt worden. Read these sentences, and for each one choose what the situation or the intention is.

el lápiz	het potlood	pencil
la piel	het leer, de huid	leather, skin

8. ES QUE... ES QUE... THE THING IS, ...

A. Lees de dialogen. Wat denk je dat es que betekent? Waarvoor denk je dat het dient? Read these dialogues. What do you think es que means? What do you think it's used for?

otra vez	alweer, nog een keer	again

B. Beantwoord nu de vragen met het meest originele, meest vermakelijke of meest onrealistische excuus dat in je opkomt. Now respond to these questions with the most original, the funniest or weirdest excuse you can think of.

así que	dus	so
caerse bien	goed kunnen opschieten met iemand	(to) get along with someone

GRAMÁTICA GRAMMATICA GRAMMAR

últimamente	de laatste tijd	lately
desarrollarse	zich ontwikkelen, zich afspelen	(to) develop
depender	afhangen	(to) depend
el interlocutor	de gesprekspartner	interlocutor
implicar	impliceren, met zich meebrengen	(to) implicate
la petición	de vraag, verzoek	request
el vaso	het glas	glass
ajeno	andermans	someone else's
el cortado	de koffie met een beetje melk	coffee with a little milk
el carrito	het wagentje, karretje	trolley
la llamada	het telefoontje	phone call
rechazar	afwijzen	(to) reject
negarse	weigeren	(to) refuse
soler (+ infinitivo)	gewoon zijn te + heel werkwoord	(to) be used to + infinitive

9. EN UN AVIÓN IN EEN VLIEGTUIG ON A PLANE

Stel je voor dat je in een vliegtuig zit. Welke dingen vraag je in de volgende situaties en hoe vraag je ze? Schrijf het in je schrijft op. Vergelijk wat je hebt opgeschreven met de antwoorden van een klasgenoot. Imagine you're on a plane. What things would you ask for in the following situations? How would you ask? Write it down in your workbook. Then compare with a partner.

el azafato	de steward	flight attendant
la sed	de dorst	thirst
la maleta	de koffer	suitcase
el portaequipajes	het bagagerek	luggage rack
el golpe	de klap	blow
el respaldo	de rugleuning	back
el asiento	de zitplaats	seat
sentarse	gaan zitten	(to) sit down

10. ¡OIGA, CÁLLESE! OIGA, CÁLLESE HEY, SHUT UP!

A. Liberto, de beleefde, en Roberto, de onbeleefde, zijn tweelingen maar ondanks toch heel verschillend. Bestudeer hoe ze reageren in de volgende situaties. Wie denk je dat wat zegt? Liberto (L) of Roberto (R). Liberto, "the polite one" and Roberto, "the rude one", are twins, but are very different. Notice how they react in these situations. Who do you think says each thing, Liberto (L) or Roberto)?

el zumo	het sap	juice
oír	horen	(to) hear
la prisa	de haast	hurry
prohibir	verbieden	(to) prohibit

la postal	de ansichtkaart	postal
apetecer	lusten, trek hebben in	(to) long for
el régimen	het dieet	diet
callarse	zwijgen	(to) remain silent
la esquina	de hoek	corner

B. Bereid in tweetallen negatieve reacties voor op elk van de onderstaande verzoeken: een beleefde en een onbeleefde. Jullie klasgenoten moeten erachter komen welke beleefd en welke onbeleefd is. In pairs, come up with negative responses to for each of these requests: one polite and one rude. Your classmates will have to work out which is which.

bajarse	uitstappen	(to) get off
la sal	het zout	salt

11. ESTOY BUSCANDO TRABAJO IK ZOEK WERK
LOOKING FOR WORK

A. Doe jij momenteel een van deze dingen? Are you currently doing any of these things? Tick them.

ahorrar	sparen	(to) save

B. Vergelijk je antwoorden met die van een klasgenoot. Zijn er dingen die overeenkomen? Compare you answers with a partner's. Do you have anything in common?

12. ¿CÓMO LO DICES? ZOALS JIJ ZEGT? WHAT WAS THAT?

A. Luister naar dit gesprek. Met welk van de onderstaande situaties komt het overeen? Listen to this conversation. Which of the following situations does it go with?

B. In tweetallen vertegenwoordigen jullie één van de vier situaties. Kies er een uit en bedenk wat jullie gaan zeggen om je doel te bereiken. In pairs, you're going to roleplay one of these situations. Choose one, and decide what you're going to say to get what you want.

la bolsa	het tasje, zakje	bag
la floristería	de bloemenzaak	florist shop
urgentemente	met spoed	urgently
el ramo	het boeket	bouquet
el regalo	het cadeau	present
darse cuenta de	zich bewust zijn van	(to) realize
en metálico	contant	in cash
el dependiente	de winkelbediende	shop assistant
la confianza	het vertrouwen	trust
limpiar	schoonmaken	(to) clean
desordenado	slordig	disorganised
sucio	vies	dirty
la orden	het bevel	order
molesto	geïrriteerd	irritated

C. Nu gaan jullie de situatie vertegenwoordigen. Bedenk hoe jullie gaan reageren en welke intonatie jullie gaan gebruiken (je kunt opnames maken om je spraakproductie te evalueren). Jullie klasgenoten moeten beslissen of jullie vriendelijk, beleefd, kortaf, etc. waren. Now do the roleplay. Think how you're going to react and what your intonation will be (you can record it to evaluate your own speaking). Your classmates will say if you've been nice, polite, brusque...

13. VIDA EN LAS PLAZAS HET LEVEN OP DE PLEINEN
LIFE IN A TOWN SQUARE

A. Lees deze tekst. Weet je over welke Spaanse steden het gaat? Read this text. Do you know what town squares in the Hispanic world they're talking about?

el encuentro	de ontmoeting	meeting
el escenario	het toneel	stage
la procesión	de optocht, processie	procession
alrededor de	rondom	around
el concurso	de wedstrijd	competition
concurrir	meedoen, meedraaien	(to) participate
soleado	zonnig	sunny
abarrotar	volproppen	(to) fill up
disfrutar	genieten	(to) enjoy
el corazón	het hart	heart
la feria	de beurs	fair
la artesanía	de ambacht, het ambachtswerk	craftwork
callejero	straat-	from the street
la actuación	het optreden	performance
llenar	vullen	(to) fill

B. In de Spaanse wereld hebben pleinen een belangrijke sociale functie als ontmoetingsplek. Is dat ook zo in jouw land? Waar spreekt men vaak met elkaar af? En wanneer? In the Spanish-speaking world, squares are very important meeting places for social life. Is it like that in your country? Where do people meet up? When?

C. Zoek informatie op het internet over een levendige plek in jouw land (of een ander land). Je kunt bijvoorbeeld denken aan een straat of een plein. Bereid een korte presentatie voor en laat die in de klas zien. Search for information on the Internet about a very lively place in your (or another) country. It could be a square or a street, etc. Prepare a short presentation and do it for the class.

5. GUÍA DEL OCIO VRIJETIJDSGIDS LEISURE TIME

planificar	plannen	(to) plan
el horario	de openingstijden	opening hours
el lugar	de plek	place
ya no	niet meer	not anymore
todavía no	nog niet	not yet

1. LAS FOTOS DE ESTE FIN DE SEMANA DE FOTO'S VAN DIT WEEKEND LAST WEEKEND'S PHOTOS

A. Welk van deze dingen hebben Pili en Toni dit weekend gedaan? Which of these things did Pili and Toni do at the weekend?

el ajedrez	het schaken	chess

B. En jij? Wat heb jij dit weekend gedaan? What about you? What did you last weekend?

2. GUÍA DEL OCIO VRIJETIJDSGIDS TIME OUT

A. Hieronder staat een fragment uit een vrijetijdsgids uit Madrid. Bekijk de tekst en bespreek de vragen me je klasgenoten. This is an extract from a weekly leisure guide for Madrid. Look at the text, and comment on the following aspects with your classmates.

a menudo	vaak	often
igual	hetzelfde	same
la prensa	de pers	press
el poema	het gedicht	poem
en directo	live	live
la víspera	de vooravond	eve
festivo	feest-	festive
el rabo	de staart	tail
el toro	de stier	bull
la consumición	de consumptie	consumption
el ensueño	de fantasie	fantasy
rayar	stralen	(to) light up
el trazo	de kwaststreek	line
el Renacimiento	de Renaissance	Renaissance
contemporáneo	hedendaags, modern	contemporary
acompañar	begeleiden	(to) accompany
flamenco	Vlaams	Flemish
el sueño	de slaap, droom	dream
el taller	de workshop	workshop
el subtítulo	de ondertiteling	subtitles
la V.O. (versión original)	in de originele taal	in its original language
el espectador	de kijker, bezoeker	spectator

la madrugada	de vroege ochtend, dageraad	early morning, dawn
matinal	ochtend-	morning
apto	geschikt	apt, fit
el/la menor	de minderjarige	someone under age

B. Stel je voor dat jullie in Madrid zijn. Besluit in tweetallen wat de beste plek is in elk van de volgende situaties. Imagine that you're in Madrid. In pairs, decide what the best place is for the following activities.

3. DE VUELTA A CASA DE TERUGREIS BACK HOME

A. Op het vliegveld, tijdens de reis naar huis, vertellen enkele mensen wat ze hebben gedaan. Koppel de gesprekken met de foto's. At the airport, on the way home from their holiday, some people talk about what they have been doing. Match the photos with the conversations.

B. Luister opnieuw en vul de tabel in. Er kunnen meerdere mogelijkheden zijn. Now listen again and complete the box. There could be more than one option.

4. UN ANUNCIO EEN ADVERTENTIE AN AD

A. Bekijk deze advertentie. Wat denk je dat SUR is? Look at this ad. What do you think SUR is?

relajarse	zich ontspannen	(to) relax
olvidar	vergeten	(to) forget
el estrés	de stress	stress
el tratamiento	de behandeling	treatment

B. Lees de advertentie nog een keer. In welke tijd staan de zinnen? Welke signaalwoorden worden bij die tijd gebruikt? Markeer ze. Read the ad again. Which tense are the sentences in? Which time adverbials go with this tense? Mark them.

C. En jij? Wat heb je gedaan? Schrijf het op en vergelijk daarna met je klasgenoten. What have you done? Write it down and then talk about it with your classmates.

5. YA LA HE VISTO IK HEB DIE FILM AL GEZIEN I'VE ALREADY SEEN IT

A. Luister naar twee vrienden die elkaar vertellen welke film ze in de bioscoop gaan kijken. Welke besluiten ze uiteindelijk te gaan kijken? Listen to these to friends deciding which film to see. Which film do they decide on?

B. Luister goed naar de zinnen uit het fragment. Begrijp je wat de vetgedrukte woorden betekenen? Welke andere hulpmiddelen zijn er in jouw taal om hetzelfde uit te drukken? Look these sentences from the audio. Do you understand the expressions in bold? How would you say that in your language?

C. Bespreek met een klasgenoot wat je zou zeggen in de volgende situaties. Talk with a partner about what you would say in each of the following situations.

ofrecer	aanbieden	(to) offer

6. RECUERDOS DESDE CUBA HERINNERINGEN AAN CUBA GREETINGS FROM CUBA

A. Een Spaans meisje dat op vakantie is op Cuba stuurt haar ouders een kaart. Denk je dat ze een leuke of een saaie vakantie heeft? A young Spanish woman on vacation in Cuba sends a postcard to her parents. Do you think she's having a boring holiday or an exciting one?

moreno	donker, bruin (van de zon)	dark, bronzed
tomar el sol	zonnebaden, in de zon zitten of liggen	(to) sunbathe
hacer submarinismo	duiken	(to) dive
el tiburón	de haai	shark
enseñar	laten zien	(to) show
seguir	doorgaan	(to) follow
el besote	de dikke kus	kiss

B. Bekijk de kaart nogmaals en vul de ontbrekende gegevens in de tabel in. Read the postcard again, and complete the box.

C. In de vorige tabel stond een nieuwe verbale structuur. Met welk werkwoord werd deze gemaakt? Vul de tabel in. In the preceding box there's a new structure. What verb is needed to make the construction? Complete the box.

D. Al deze tijdsmarkeringen kunnen verwijzen naar de toekomst. Kun je ze op chronologische volgorde zetten? All these time adverbials can refer to the future. Can you put them in chronological order?

pasado mañana	overmorgen	the day after tomorrow

7. ERASMUS ERASMUS ERASMUS

A. Luister naar een gesprek met een Erasmusstudent in Valencia en noteer in je schrift welke plannen hij heeft. Listen to this conversation with a student on an Erasmus scholarship in Valencia, and write in your workbook what his plans are.

B. En jij? Heb je een plan voor de toekomst? Denk aan je werk, studie en vakanties. Schrijf je plannen op en vergelijk ze met die van een klasgenoot. What about you? Have you made any plans for your future? Think about your work, your studies, your vacations, and so on. Note them down, and then tell a partner.

apuntarse	zich opgeven	(to) sign up

GRAMÁTICA GRAMMATICA GRAMMAR

romper	breken	(to) break
vincular con	verbinden met	(to) connect with

8. TODA UNA VIDA EEN LEVEN LANG AN ENTIRE LIFE

A. Hier staat een lijst met gebeurtenissen die in iemands leven kunnen voorkomen. Begrijp je alles? Vraag een klasgenoot om hulp als je iets niet begrijpt. This is a list of things that could happen in someone's life. Do you understand all of them? Ask a partner anything you don't understand.

jubilarse	met pensioen gaan	(to) retire
montar	opzetten	(to) assemble
el negocio	het bedrijf	business

B. Schrijf in je schrift op welke dingen jij gedaan hebt, welke je dingen je momenteel doet, welke dingen je binnenkort gaat doen en welke dingen je nooit denkt te gaan doen. Note down the things you've done, things you're doing at the moment, things you're going to do soon, and things you'll never do.

C. Bespreek dit met een klasgenoot. Vertel de klas wat je het meest verbaasde. Now talk about it with a partner. Then tell the class what surprised you the most.

9. UN PARQUE TRANQUILO EEN RUSTIG PARK A QUIET PARK

A. Denk aan plekken in de stad of regio waar je woont en vul de tabel hier rechts in. Bespreek je antwoorden met een klasgenoot. Think about places in the town or region where you live, and complete the box on the right. Then talk about it with your classmates.

el puerto	de haven	port
el local	de kroeg	pub

B. Heb je iets nieuws ontdekt? Beslis welke plekken je interesseren, naar welke je wilt gaan en wanneer. Vertel dit aan de klas. Have you found out anything new? Decide which places might be interesting, which you'd like to go to and when. Tell your classmates.

10. EL AÑO MÁS... HET MEEST ..... JAAR THE ...–EST YEAR

A. Je komt te weten hoe het leven van een klasgenoot gedurende één van de volgende periodes geweest is. Kies uit: deze week, deze maand of dit jaar. Bereid vragen voor om te weten te komen of hij/zij een interessante, leuke of saaie week, maand of jaar gehad heeft. You're going to find out what your partner's life has been like in one of these three periods: this week, this month or this year. Write some questions to find out if his/her week, month or year has been interesting, fun, boring, etc.

B. Beredeneer met de rest van de klas waarom jullie klasgenoot deze periode uitgekozen heeft. Now talk to the rest of the class what your partner's life has been like in the period you chose.

11. GUÍAS TURÍSTICOS TOERISTENGIDSEN TOURIST GUIDES

A. In groepjes van drie: stel je voor dat jullie gidsen zijn die activiteiten voor het weekend moeten bedenken in de stad waar jullie je bevinden. Kies eerst een van deze groepen uit. In groups of three, imagine that you are tourist guides, and you have to plan activities for a weekend in the town where you are now. First, choose one of these three groups.

la luna de miel	de huwelijksreis, wittebroodsweken	honeymoon
el chófer	de chauffeur	driver

B. Plan nu activiteiten voor jullie groep toeristen voor het hele weekend. Jullie mogen op internet zoeken naar vrijetijdsgidsen. Now programme the activities for your group of tourists for the whole weekend. You can look things up on the Internet or in guidebooks.

C. Jullie gaan je voorstel aan de rest van de klas presenteren. Hierbij moeten je kunnen verantwoorden waarom jullie juist die keuzes voor jullie groep gemaakt hebben; de prijzen, het schema etc. Wie heeft het beste plan? Now present your proposal to the rest of the class. You should justify your choices bearing in mind your group's likely tastes, as well as prices and timetables, etc. Who has the best plan?

12. ESPACIOS NATURALES NATUURGEBIEDEN NATIONAL PARKS

A. Welk type vakantie heeft jouw voorkeur? Houd je van natuur? Hieronder staat informatie over drie natuurgebieden in Spaanstalige landen. Overleg in groepjes welke jullie het liefst willen bezoeken en waarom. What type of holiday do you prefer? Are you into nature? Here's some information about national parks in three Spanish-speaking countries. In groups, decide which you'd like to visit and why.

escapar	ontsnappen	(to) escape
la propuesta	het voorstel	offer
abarcar	omvatten	(to) cover
el alpinismo	het bergbeklimmen	mountain climbing
el senderismo	de wandelsport	hiking
el acceso	de toegang	access
el refugio	het onderdak	shelter
el oso pardo	de bruine beer	brown bear
el especie	de soort	species
el camino	de weg	road
salvaje	wild	wild
el peligro	het gevaar	danger
la extinción	het uitsterven	extinction
extraño	vreemd	strange
el paisaje	het landschap	landscape
la roca	de rots	rock
destacar	opvallen	(to) stand out
la abundancia	de overvloed	abundance

B. Zijn er natuurgebieden in jouw land die hierop lijken? Welke is het meest bekend? Heb je er ooit een bezocht? Are there parks like this in your country? Which is the most famous? Have you ever been there?

6. NO COMO CARNE IK EET GEEN VLEES I DON'T EAT MEAT

el gusto	de smaak	taste
alimentario	voedings-	food-
pero	maar	but
la receta	het recept	recipe
el peso	het gewicht	weight
la medida	de afmeting	measurement

1. ¿TÚ QUÉ CENAS? WAT EET JIJ ALS AVONDETEN? WHAT DO YOU HAVE FOR DINNER?

A. Een aantal mensen vertelt ons wat ze 's avonds normaalgesproken eten. Koppel de verklaringen aan de foto's. Some people are telling us what they usually have for dinner. Match the photos to the comments.

rápido	snel	fast
mientras	terwijl	while
el hambre	de honger	hunger
la verdura	de groente	vegetable
el trozo	het stukje	piece
el plato	het gerecht	dish
ligero	licht	light

B. Identificeer de voedingsmiddelen op de foto's die genoemd worden in deel A. Find the food mentioned in Part A in the photos.

C. Vergelijk met een klasgenoot wat hij/zij normaalgesproken eet tijdens het avondeten. Komt het overeen? With a partner, talk about what you normally have for dinner. Do you have anything in common?

2. COMO DE TODO IK EET VAN ALLES THERE'S NOTHING I DON'T EAT

A. Hieronder staan de weekadvertenties van een supermarktketen. Ken je alle producten? Bestaan ze in jouw eigen land? Here are this week's special offers at a supermarket chain. Do you know all the products? Do you have them in your country?

el lácteo	het zuivelproduct	dairy
el sabor	de smaak	flavour
la mantequilla	de boter	butter
la leche	de melk	milk
el pan	het brood	bread
la galleta	het koekje	biscuit
la magdalena	het cakeje	cake
el berberecho	de kokkel	cockle
el refresco	de frisdrank	soft-drink
el arroz	de rijst	rice
el azúcar	de suiker	sugar

el huevo	het ei	egg
la ternera	het kalfsvlees	veal
la manzana	de appel	apple
la patata	de aardappel	potato
el níspero	de mispel	loquat
la lechuga	de (krop)sla	lettuce
el melocotón	de perzik	peach
el tomate	de tomaat	tomato
la droguería	de drogist	chemist
el detergente	het wasmiddel	detergent
la lejía	het bleek	bleach

B. Eet je deze producten? Vul de tabel in. Do you eat these products? Complete the box.

| de vez en cuando | af en toe | once in a while |

C. Bespreek je antwoorden met een klasgenoot. Zijn er andere dingen die je nooit eet of drinkt? Now talk about it with a partner. Is there anything else that you never eat or drink?

| el pescado | de vis | fish |

3. VEGANOS VEGANISTEN VEGANS

A. Wat weet je over veganisten (strengere vegetariërs)? Lees de beweringen en bespreek in tweetalen welke jullie juist (V) of onjuist (F) lijken. What do you know about vegans (strict vegetarians)? Read these statements and in pairs say whether you think they're true (V)* or false (F).

la miel	de honing	honey
la lana	de wol	wool
la vaca	de koe	cow
el medio ambiente	het milieu	environment
la proteína	het eiwit	protein
el fruto seco	de gedroogde vrucht (incl. noten)	dried fruit
la nuez	de (wal)noot	nut
la almendra	de amandel	almond

B. Lees het artikel en controleer jullie antwoorden. Now read this article and check your answers.

el estilo de vida	de levensstijl, levenswijze	lifestyle
sano	gezond	healthy
proteger	beschermen	(to) protect
mejorar	verbeteren	(to) improve
maltratar	mishandelen	(to) mistreat
criar	fokken	(to) breed
ocupar	bewonen	(to) take up
el cereal	het graan(product)	cereal, grain

alimentar	voeden	(to) feed
la salud	de gezondheid	health
a base de	op basis van	based on
el legumbre	de peulvrucht	legume
mantener	onderhouden	(to) maintain
el cuerpo	het lichaam	body
limpio	schoon	clean
aportar	bijdragen	(to) contribute

C. Ken je een veganist of vegetariër? Do you know any vegans or vegetarians?

4. COCINA FÁCIL MAKKELIJK KOKEN EASY MEALS

A. Een paar vrienden nodigen je uit voor een feestje bij hun thuis en je wilt iets te eten meenemen. Hier staan twee voorbeelden van makkelijke gerechten. Welke is het makkelijkst? Welke ga je maken? Some friends have invited you to a party at their house, and you want to take some food. Here are two very simple dishes. Which is the easiest? Which would you make?

el aguacate	de avocado	avocado
la cucharada	de eetlepel	tablespoon
la cebolla	de ui	onion
picado	gehakt	chopped
la cucharadita	de theelepel	teaspoon
el ajo	de knoflook	garlic
el chile	de Spaanse peper	chilli
el limón	de citroen	lemon
pelar	pellen, schillen	(to) peel
el recipiente	de kom	bowl
el tenedor	de vork	fork
aplastar	pletten, plat drukken	(to) squash
obtener	verkrijgen	(to) obtain
la semilla	het zaadje	seed
quitar	verwijderen	(to) remove
cortar	snijden	(to) cut
estrellar	breken, verbrijzelen	(to) break
mediano	gemiddelde	medium-sized
la loncha	de plak	slice
el jamón	de ham	ham
el aceite	de olie	oil
lavar	wassen	(to) wash
la sartén	de koekenpan	frying pan
calentar	verwarmen	(to) heat up
freír	bakken	(to) fry
sacar	weghalen, uit halen	(to) remove
el horno	de oven	oven
crujiente	knapperig	crunchy
mezclar	mengen	(to) mix

inmediatamente	meteen	immediately
echar	gooien, schenken	(to) pour
revolver	omroeren, omkeren	(to) stir, (to) toss

B. In de recepten staan vetgedrukte woorden. Welke is het infinitief? Schrijf dit onder de bijbehorende afbeelding. In the recipes some verbs are in bold. What is the infinitive? Write it below the corresponding illustration.

C. Bestudeer het woord se en de werkwoordsvorm die daarop volgt. Soms is dit de derde persoon enkelvoud en soms de derde persoon meervoud. Begrijp je wanneer de een, en wanneer de ander gebruikt wordt? Notice the word se and in the verb form that follows it. Sometimes it's a third person singular and sometimes it's a third person plural. Can you work out when you use one and when you use the other?

5. LA DIETA DE LA ALCACHOFA HET ARTISJOKKENDIEET THE ARTICHOKE DIET

A. Lees deze blogpost. Wat vind je van dit dieet? Bespreek met je klasgenoten. Read this blog entry. What do you think of this diet? Talk about it with your classmates.

recomendar	aanraden	(to) recommend
aconsejable	aan te raden	recommendable
obeso	zwaarlijvig, met overgewicht	obese
ya que	want	because
el desayuno	het ontbijt	breakfast
la comida	de middagmaaltijd	lunch
la merienda	het vieruurtje	afternoon snack
cocer	koken	(to) cook
a la plancha	gegrild	grilled
la cápsula	de capsule, pil	capsule
desear	wensen	(to) wish

B. Bestudeer de vetgedrukte woorden. Waarvoor worden ze gebruikt? Welk hulpmiddel gebruik je in jouw taal? Notice the words in bold. Why are they being used? How would you express that in your language?

C. Volg of ken je een dieet? Leg aan je klasgenoten uit waar dit dieet uit bestaat. Do you follow or know of any diets? Tell your classmates what they consist of.

el hidrato de carbono	de koolhydraat	carbohydrate

6. ¡MAMÁ! MAMA MUM!

A. Flora is een goede kokkin en haar zoon Juanito, die net het huis uit is, vraagt haar om adviezen. Luister naar het gesprek en beantwoord de vragen. Flora is a great cook, and her son Juan, who has just left home, is asking her for advice. Listen to their conversation and answer these questions.

el truco	de truc	trick
al final	uiteindelijk	finally

B. In deze zinnen, uit het gesprek tussen Flora en haar zoon, zijn de voornaamwoorden van het lijdend voorwerp (OD), lo, las, los en las, dikgedrukt. Naar welk zelfstandig naamwoord verwijzen ze? In these extracts from the dialogue between Flora and her son, the direct object (OD) pronouns lo, las, los and las are marked in bold. Which noun does each of them refer to?

hasta que	totdat	until
blandito	zacht	soft
el rato	het poosje	a little while
batir	mixen, kloppen, klutsen	(to) whisk

C. Vul de zinnen aan met voornaamwoorden van het lijdend voorwerp. Complete these sentences with a direct object pronoun.

el vapor	de stoom	steam
el plátano	de banaan	banana

7. ADEMÁS... BOVENDIEN... BESIDES, ...

A. Lees de twee onderstaande zinnen. De gemarkeerde woorden zijn voegwoorden. Begrijp je wat ze betekenen? Read these two sentences. The highlighted words are connectors. Do you know what they mean?

B. Vul elke zin aan met de meest logische optie: además of pero. Now write the best option: además or pero, in the gaps in these sentences.

el postre	het toetje	dessert

GRAMÁTICA GRAMMATICA GRAMMAR

congelar	invriezen, bevriezen	(to) freeze
el diente de ajo	de teen knoflook	clove of garlic
maduro	rijp	ripe
enlazar	linken, verbinden	(to) connect
ningún	geen enkel(e)	not a single
contraponer	tegenspreken	(to) go against
reforzar	versterken	(to) reinforce
traer	meenemen	(to) bring
neutro	neutraal	neutral
sustituir	vervangen	(to) substitute
la valoración	de waardering	recognition
extremeño	uit Extremadura	from Extremadura
la experiencia	de ervaring	experience
la harina	de bloem	flour

8. ¿A PESO O POR UNIDADES? NAAR GEWICHT OF PER EENHEID? BY WEIGHT OR PER UNIT?

A. Lees dit artikel. Vind je het een interessant initiatief? Bestaan er soortgelijke winkels in jouw land? Overleg met een klasgenoot. Read this article. Do you think the concept is interesting? Do similar stores exist in your country? Talk about it with your classmates.

al granel	onverpakt	unpacked
envasado	verpakt	packed
a peso	op gewicht	in weight
la aceituna	de olijf	olive
la hierba	het kruid	herb
la especia	de specerij	spice
el dueño	de eigenaar	owner
sostenible	duurzaam	sustainable
el envase	de verpakking	container

B. Onderstreep de voedingsmiddelen die in de tekst genoemd worden. Hoe koopt men deze artikelen in jouw land? Underline all the food items that are mentioned in the text. How are they sold in your country?

el cartón	de doos	box
la botella	de fles	bottle
la lata	het blik	tin
el bote	de doos, pot	jar
el paquete	het pak	package
la caja	de doos, kist	box

9. LA DIETA DE SILVIA HET DIEET VAN SILIVA SILVIA'S DIET

A. Wat denk je dat een model doet om in vorm te blijven? Welke van de dingen op de lijst denk je dat ze eet? Welke niet? Overleg met een klasgenoot. What do you think a professional model does to keep herself in good shape? Which things on the list do you think she eats? Which doesn't she eat? Talk about it with your classmates.

el marisco	de zeevrucht	shellfish
la piña	de ananas	pineapple
integral	volkoren	wholegrain

B. Luister naar een Spaans model en controleer je voorspellingen. Noteer in de tabel wat ze wel en niet eet. Listen to a Spanish model and check your predictions. Note down in the box what she eats and doesn't eat.

C. En jij? Wat eet je niet als je op je dieet let? What about you? When you want to get in shape, what do you do? What don't you eat?

10. UNA COMIDA FAMILIAR EEN FAMILIEMAALTIJD A FAMILY MEAL

A. Hoe ziet een familie-etentje bij jouw thuis eruit als er iets te vieren is? Leg dit uit aan je klasgenoten. What do your family eat when they're celebrating something special at home? Talk about it with your classmates.

encender	aanzetten	(to) turn on

B. Antonio verteld hoe een familie-etentje bij hem thuis eruitziet. Luister en maak aantekeningen van wat hij vertelt. Lijkt het op de etentjes bij jouw thuis? Antonio is telling us about a family meal at his home. Listen and note down what he says. Is it like the meals your family have?

C. Welke aanbevelingen zou jij geven aan een buitenlander die jaar jouw land gaat? Wat moet hij doen en laten tijdens het eten? What advice would you give to a foreigner who is going to your country? What should they do and not do at the table?

el palillo	het stokje	stick
clavar	vastzetten	(to) nail
considerar	beschouwen	(to) consider
la educación	de opvoeding	education

11. LA CENA DE LA CLASE HET KLASSENDINER THE CLASS DINNER

A. Jullie gaan een diner bereiden voor de klas. Elk tweetal moet drie gerechten bereiden. Beslis eerst welke gerechten jullie gaan bereiden, welke ingrediënten erin zitten en hoe je het bereidt. Schrijf dit op. You're going to organise a class dinner. In pairs, you have to make three dishes. First decide what dishes to make, then think what ingredients you need, and then how to make the dishes. Write it down.

B. Presenteer jullie gerechten aan de rest. Ze gaan jullie vragen stellen. Tenslotte kiezen jullie gezamenlijk de gerechten uit die de meerderheid bevallen. Present your dishes to the others. They'll ask you questions. At the end, let's see what the three most popular dishes are.

el bizcocho	de biscuit	biscuit

C. Maak nu een boodschappenlijst. Houd rekening met hoeveel jullie zijn. Now you're going to make a shopping list. Don't forget how many people you have to feed.

12. DENOMINACIÓN DE ORIGEN AANDUIDING VAN HERKOMST CERTIFIED ORIGIN

A. Weet je wat een aanduiding van herkomst is? Bespreek het met je klasgenoten en lees daarna deze tekst. Do you know what a Denominación de origen is? Talk about it with your classmates and then read the text.

la época	de periode, het tijdperk	period
seguramente	zeker	surely
determinar	vaststellen, bepalen	(to) determine
seguir	volgen	(to) follow
la calidad	de kwaliteit	quality
el turrón	de noga	turron
valer	waard zijn	(to) be worth
la pena	de moeite	effort
el mejillón	de mossel	mussel
el espárrago	de asperge	asparagus
la avellana	de hazelnoot	hazelnut

B. Stel je voor dat je in Spanje op vakantie bent. Welk product zou je kopen om mee naar huis te nemen? Imagine that you're in Spain on holiday. What things would you buy to take back to your country?

C. Zoek informatie op internet over een product, afkomstig uit jouw land, met een aanduiding van oorsprong en presenteer dit in de klas. Do an Internet search for a product from your country that has DO status, and present it to the class.

7. NOS GUSTÓ MUCHO HET BEVIEL ONS HEEL ERG GOED WE ABSOLUTELY LOVED IT

el deseo	de wens	wish
caer bien/mal	het goed/slecht met iemand kunnen vinden	(to) be (dis)liked

1. ¡QUÉ LUGAR TAN INCREÍBLE! WAT EEN ONGELOFELIJKE PLAATS WHAT AN AWESOME PLACE!

A. Lees deze geïllustreerde reportage over Costa Rica en vul de zinnen aan. Read this illustrated report about Costa Rica, and complete the sentences.

la ballena	de walvis	whale
la bahía	de baai	bay
la cola	de staart	tail
el deporte de aventura	de extreme sport	extreme sport
caminar	lopen, wandelen	(to) walk
la soda	het koffiehuis, de cafetaria	cafe
la reserva	het reservaat	reserve

B. Naar welk van de genoemde plaatsen zou je graag willen bezoeken? Which of these places would you like to visit?

la selva	het woud	jungle

2. SAN SEBASTIÁN SAN SEBASTIÁN SAN SEBASTIÁN

A. Stel je voor dat je op reis gaat naar San Sebastián. Lees het onderstaande artikel en besluit naar welke vier plekken waarover gesproken wordt je graag zou willen gaan. Bespreek dit daarna met een klasgenoot. Imagine that you're going on a trip to San Sebastian. Read the article and decide which of the four places mentioned you'd like to visit. Talk about it with a classmate.

la perla	de parel	pearl
pesquero	vis-	fishing
las ciencias naturales	de natuurwetenschappen	natural sciences
fundar	oprichten	(to) found
recientemente	recentelijk	recently
atravesar	doorkruisen	(to) cross
la convención	de conventie, het congres	convention
la sede	het hoofdkwartier	headquarters
curar	genezen	(to) cure
el paseo	de boulevard	boulevard
bordear	omranden	(to) border
el escultor	de beeldenaar	sculptor
el propietario	de eigenaar	owner
vanguardista	baanbrekend, revolutionair	state-of-the-art
vasco	Baskisch	Basque

B. Wat is de meest interessante plek waar je ooit geweest bent? Which interesting place (museum, building, etc) have you been to recently?

3. CONOCER MÉXICO MEXICO KENNEN GETTING TO KNOW MEXICO

A. Een tijdschrift raad een aantal werken aan waarmee je de hedendaagse Mexicaanse cultuur zo goed mogelijk leert kennen. Welk werk interesseert je het meest? Waarom? Overleg met een klasgenoot. Here are a magazine's recommendations for works that help you get to know contemporary Mexican culture. Which one interests you most? Why? Talk about it with a classmate.

reinterpretar	herinterpreteren	(to) reinterpret
mítico	mythisch	mythical
la colaboración	de samenwerking	collaboration
el lujo	de luxe	luxury
la novela	de roman	novel
obligar	verplicht stellen	(to) oblige

B. Je krijgt drie gesprekken te horen waarin mensen praten over deze werken. Welke prijzen ze? You're going to hear three conversations between two people talking about the above works. Which piece of work are they evaluating?

C. Luister nogmaals naar de gesprekken en vul de tabel in. Listen again to the dialogues and complete the box.

4. ¿HAS ESTADO EN MÁLAGA? BEN JE IN MÁLAGA GEWEEST? HAVE YOU EVER BEEN TO MÁLAGA?

A. In deze dialogen komen twee tijden voor. Welke? Two verb tenses appear in these dialogues. What are they?

B. Kijk naar de tabel en besluit welke tijd er gebruikt word in elke van de drie situaties: de pretérito perfecto of de pretérito indefinido. Now look at the box and decide which tense is used in each of the three cases: the pretérito perfecto or the pretérito indefinido.

C. Vul de zinnen aan met werkwoorden in de pretérito perfecto of de pretérito indefinido. Now complete the sentences with verbs in the pretérito perfecto or the pretérito indefinido.

5. ME CAYÓ GENIAL HET LIJKT ME GEWELDIG I REALLY LIKED HIM

A. Hier zie je drie e-mails die Claudia aan haar vrienden heeft geschreven. Onderstreep alle zinnen waarin ze een waardeoordeel maakt (over ervaringen, plekken, personen, etc.). Here are three emails written by Claudia to her friends. Mark the parts where she makes a judgement (about experiences, places, people, etc).

feliz	gelukkig	happy
el beso	de kus	kiss
la inauguración	de initiatie, inzegening	inauguration
la exposición	de expositie	exhibition
la cerámica	de keramiek	ceramic
genial	fantastisch	brilliant

B. Welke van die oordelen zijn positief? Welke zijn negatief? Which of those judgements are positive? Which are negative?

C. Heb je bestudeerd hoe de uitdrukking caer bien / mal werkt? Verbind de onderstaande zinnen. Have you noticed how the expression caer bien / mal works? Match the number with the letters.

6. ¡QUÉ INTERESANTE! WAT INTERESSANT! HOW INTERESTING!

A. Lees deze fragmenten uit een gesprek tussen twee collega's. Carmen vertelt aan Iñaki wat ze denkt te gaan doen in de vakantie. Zet de woorden op de goede plek in de zinnen met de reacties van Iñaki. Er kunnen meerdere mogelijkheden zijn. Read these extracts from a conversation between two workmates. Carmen is telling Iñaki her plans for the holidays. Complete the extracts with Iñaki's responses. Several answers are possible.

emocionante	emotioneel	emotional
la envidia	de afgunst	envy
curioso	eigenaardig	curious
el vuelo	de vlucht	flight
el poblado	de nederzetting	town
la jirafa	de giraffe	giraffe
el aro	de hoepel	hoop
el cuello	de nek	neck

| el mono | de aap | monkey |
| agarrar | grijpen | (to) grab |

B. Luister naar hoe Iñaki gereageerd heeft. Listen to how Iñaki responds.

C. Reageer nu zelf op een logische manier en gebruik hiervoor de uitdrukkingen uit oefening A. Er zijn meerdere mogelijkheden. Now react logically using some of the expressions from Activity A. Several answers are possible.

| mandar | sturen | (to) send |

GRAMÁTICA GRAMMATICA GRAMMAR

el circo	het circus	circus
la maravilla	het wonder	miracle
la gracia	de aardigheid	grace
estupendo	uitstekend	wonderful
el rollo	de puinhoop, de ellende	mess
el cumpleaños	de verjaardag	birthday

7. SONIQUETE, ROSARIO Y MORELLA SONIQUETE, ROSARIO EN MORELLA SONIQUETE, ROSARIO AND MORELLA

A. Je gaat naar drie gesprekken luisteren. Vul in. You're going to hear three conversations. Complete the box.

B. Denk aan een andere plaats (een land, een stad...) die indruk op je maakte toen je er voor het eerst was. Vraag daarna aan je klasgenoten of ze ook op deze plek geweest zijn en of die dezelfde indruk op ze gemaakt heeft. Think of a place (a country, a city, etc) that really made an impression on you when you were there for the first time. Then ask you classmates if they've been there, and if it made a similar impression on them.

8. COSAS EN COMÚN GEMEENSCHAPPELIJKE DINGEN THINGS IN COMMON

A. Zoek in tweetallen een boek en een film die jullie allebei gelezen en gezien hebben en die jullie allebei leuk vonden. In pairs, find a book or that you've both read or a film that you've both seen, and that you both liked.

B. Vergelijk wat jullie bedacht hebben met de rest van de klas. Zijn er klasgenoten met dezelfde mening? Now tell the rest of the class. Do they have the same opinion?

9. SOÑAR ES GRATIS DROMEN KOST NIKS DREAMS ARE FREE

A. Maak tweetallen en stel voor dat jullie het bedrijf van je dromen kunt openen: een restaurant, een discotheek, een kunstgalerij etc. Besluit welke kenmerken het heeft. In pairs, imagine you can set up the business of your dreams: a restaurant, a disco, a club, an art gallery, etc. Decide what it will be like.

B. Leg nu aan jullie klasgenoten uit hoe het bedrijf eruitziet. De docent zal de namen op het bord schrijven en later besluiten jullie welke bedrijven je graag zou willen bezoeken. *Now you're going to tell the rest of the class about your business. The teacher will write the names on the board, and then you're going to talk together about which ones you'd like to visit.*

10. EL PEOR SÁBADO DE LA VIDA DE TRISTÁN DE MEEST VERSCHRIKKELIJKE ZATERDAG IN HET LEVEN VAN TRISTÁN THE WORST SATURDAY IN TRISTAN'S LIFE

A. Tristán is een heel negatief persoon. Afgelopen zaterdag heeft hij veel dingen gedaan, maar hij vond er geen een leuk. Schrijf in tweetallen de email die Tristán stuurde naar een vriend om zijn dag aan hem te beschrijven. Lees de email daarna voor aan jullie klasgenoten. Welk tweetal heeft het leukste mailtje geschreven? *Tristan is a very negative character. He did a lot of things on Saturday, but he didn't enjoy any of them. In pairs, write the email that he sent to a friend telling him how he spent the day. Then read it to your classmates. Which pair wrote the funniest email?*

B. Heb je ooit net zoiets verschrikkelijks meegemaakt zoals je beschreven of gehoord hebt in de e-mails? Bespreek het met je klasgenoten. *¿Have you ever had a day as horrible or experienced anything as bad as what you've just heard? Tell your classmates about it.*

11. CONOCER NUESTRA CIUDAD ONZE STAD KENNEN GET TO KNOW OUR CITY

A. Een tijdschrift wil graag een artikel schrijven over welke dingen je kunt doen in de stad waar je Spaans studeert. Overleg in kleine groepen welke vijf dingen je kunt aanbevelen aan een toerist. *A magazine wants to publish an article about what you can do in the city where you're studying Spanish. In small groups, agree on five things you could recommend to a visitor.*

B. Schrijf een artikel en plak het op de muur van het lokaal zodat jullie klasgenoten het kunnen lezen. *Write the article and put it up on the classroom wall so that you classmates can read it.*

C. Kies met z'n allen de vijf beste aanbevelingen uit. *Now, all working together, choose the five best recommendations.*

12. ¡ESPECTACULAR! SPECTACULAIR! SPECTACULAR!

A. Een tijdschrift heeft een artikel gepubliceerd met de meest spectaculaire plekken in Spaanstalige landen. Lees de teksten. Welke lijkt plek lijkt je het meest spectaculair? *A magazine has published an article about spectacular places in Hispanic countries. Read the text. Which do you think is the most spectacular?*

antiguo	oud	old
variado	gevarieerd	varied
el fundador	de oprichter	founder
el imperio	het rijk	empire
digno	waardig	worthly
el dios	de god	god
el corte	het hof, de hofhouding	court

el salar	de zoutvlakte	salt flat
el desierto	de woestijn	desert
el altiplano	de hoogvlakte	high plateau
andino	uit de Andes	from the Andes
rodear	omringen	(to) surround
inundar	overstromen	(to) flood
la lluvia	de regen	rain
secar	drogen	(to) dry
la capa	de laag	layer
hermoso	mooi	beautiful
la capilla	de kapel	chapel
el mármol	het marmer	marble
la cueva	de grot	cave
la tonalidad	de schakering	tonality
la embarcación	de boot	boat
la conservación	de bewaring	preservation

B. Ken je een van deze plekken. Zoek op het internet informatie en bereid een korte presentatie voor. Stem met z'n allen over wat jullie de meest spectaculaire plek lijkt. *Do you know any spectacular places? Do an Internet search and prepare a brief presentation. Vote for the one you think is most spectacular.*

8. ESTAMOS MUY BIEN MET ONS GAAT HET HEEL GOED WE'RE DOING FINE

el estado de ánimo	de gemoedstoestand	mood
la molestia	de overlast	annoyance
doler	pijn doen	(to) hurt
la enfermedad	de ziekte	illness

1. PRODUCTOS NATURALES NATUURLIJKE PRODUCTEN NATURAL PRODUCTS

A. Lees de tekst over tijm. Welke producten zijn geschikt voor elke situatie? *Read this text about the herb thyme. Which products are best in each case?*

la tos	de hoest	cough
la caspa	de roos	dandruff
el dolor	de pijn	pain
la cabeza	het hoofd	head
prevenir	voorkomen	(to) prevent
el resfriado	de verkoudheid	cold
milenario	eeuwenoud	millenary
el condimento	de smaakmaker	condiment
la Antigüedad	de Oudheid	antiquity
la infusión	de kruidenthee	infusion
la digestión	de spijsvertering	digestion

pesado	zwaar	heavy
la caída	de uitval	drop
el cabello	het haar	hair
eficaz	efficiënt	efficient
la anemia	de bloedarmoede	anaemia
la garganta	de keel	throat
combatir	bestrijden	(to) fight
el tónico	de tonic, lotion	tonic
la herida	de wond	wound

B. Ken je natuurlijke geneesmiddelen? Welke voordelen hebben ze? Welke producten worden ermee gemaakt? Do you know any similar natural remedies? What benefits do they have? What products are made from them?

2. ¿CUIDAS TU CUERPO? ZORG JE VOOR JE LICHAAM? DO YOU LOOK AFTER YOUR BODY?

A. Een tijdschrift heeft een artikel met adviezen om goed voor je lichaam te zorgen gepubliceerd. Doe jij een van deze dingen? This magazine article offers advice about body care. Do you follow any of it?

desmaquillarse	make-up verwijderen	(to) remove one's makeup
el protector solar	de zonnebrandcrème	sun cream
la cara	het gezicht	face
deber	moeten	(to) must
el ojo	het oog	eye
la zanahoria	de wortel	carrot
las gafas	de bril	glasses
la manzanilla	de kamille(thee)	camomile
el labio	de lip	lip
regularmente	regelmatig	consistently
fumar	roken	(to) smoke
resecar	droog maken	(to) dry up
envejecer	verouderen	(to) age
el pelo	het haar	hair
el gorro	het hoofddeksel	hat
la mano	de hand	hand
el guante	de handschoen	glove
el jabón	de zeep	soap
suave	zacht	soft
la espalda	de rug	back
boca abajo	voorover, hier: op de buik	face down
de lado	op de zij	sideways
evitar	vermijden	(to) avoid
doblar	buigen	(to) bow
la rodilla	de knie	knee
agacharse	bukken	(to) bend down
fortalecer	versterken	(to) strengthen

la natación	de zwemsport	swimming
el brazo	de arm	arm
el hombro	de schouder	shoulder
el remo	de roeisport	rowing
la pierna	het been	leg
ajustado	strak	tight
la circulación	de (bloeds)omloop	circulation
el ciclismo	de wielersport	cycling
el pie	de voet	foot
la uña	de nagel	nail
el corte	hier: geknipt	cut
recto	recht	straight
el calzado	het schoeisel	footwear
de pie	te voet, staand	standing

B. Kies in tweetallen de adviezen die jullie het meest belangrijkst vinden uit. Ken je andere tips om goed voor je lichaam te zorgen? In pairs, chose what you think are the five most important pieces of advice. What other tips do you know for looking after yourself?

3. LENGUAJE CORPORAL LICHAAMSTAAL BODY LANGUAGE

A. Bespreek de volgende vragen met een klasgenoot. Comment on the following questions with a partner.

la distancia	de afstand	distance
incómodo	ongemakkelijk	uncomfortable
la mirada	de blik	look

B. Lees het artikel hieronder over lichaamstaal. Welke informatie geeft het over Spanje en de Spaanstalige landen? Verrast deze informatie je? Read this article about body language. What does it say about Spain and Spanish-speaking Latin America? Does any of the information surprise you?

sincero	eerlijk	sincere
tocar	aanraken	(to) touch
el cariño	de genegenheid	affection
cierto	zeker	true
el bolsillo	de (broek)zak	pocket
la falta	het gebrek	shortage
invadir	binnendringen	(to) invade
la impaciencia	het ongeduld	impatience
el aburrimiento	de verveling	boredom
occidental	westelijk	western, occidental
el reloj	het horloge	watch
el signo	het teken	sign
evidente	duidelijk, vanzelfsprekend	obvious
estar sentado	zitten	(to) sit
descansado	ontspannen, uitgerust	rested

respirar	ademhalen	(to) breathe
nervioso	nerveus	nervous
sonreír	glimlachen	(to) smile
transmitir	overbrengen	(to) transmit
la alegría	de blijdschap	happiness
exagerar	overdrijven	(to) exaggerate

C. Bestaan er typische gebaren of bewegingen in jouw land of cultuur? Zijn er belangrijke dingen die een buitenlander moet weten als hij jouw land wil bezoeken? Are there any gestures or movements that are characteristic of your culture or country? Is there anything important that a visitor to your country should know?

4. ES BUENO PARA LA ESPALDA HET IS GOED VOOR JE RUG IT'S GOOD FOR YOUR BACK

A. Welke lichaamsdelen worden door de volgende sporten en activiteiten versterkt? What parts of the body do you strengthen by doing the following exercises or activities?

el tobillo	de enkel	ankle
la nariz	de neus	nose
el vientre	de buik	belly
la flexión	het buigen, strekken	flexing exercise

B. Doe jij een van deze activiteiten of sporten? Bespreek met een klasgenoot. Do you do any of the activities, exercises or sports in the list above? Talk about it with a partner.

5. ESTÁ MAREADA ZE IS DUIZELIG FEELING QUEASY

A. Vul de zinnen aan met de onderstaande woorden over de gezondheidsproblemen die deze mensen hebben. Complete the following words about the health problems these people have.

| mareado | misselijk | nauseous |
| el estómago | de maag | stomach |

B. Bedenk met welke woorden je welke structuur uit de tabel gebruikt om over symptomen of pijntjes te praten en zet ze op de goede plek. Now work out which words can be used with the structures in the box to talk about symptoms or pain.

la fiebre	de koorts	fever
el oído	het gehoor, oor	hearing
la náusea	de misselijkheid	nausea
enfermo	ziek	sick
pálido	bleek	pale
la muela	de kies	molar

6. TIENES QUE IR AL DENTISTA JE MOET NAAR DE TANDARTS GAAN YOU NEED TO SEE THE DENTIST

A. Je gaat naar vier personen die gezondheidsproblemen hebben luisteren. Noteer hieronder welk probleem ze hebben. You're going to hear four people with health problems. Note down what their problem is.

B. Hieronder staan adviezen voor de mensen uit opdracht A. Voor wie is welk advies? Here are some pieces of advice for the people in part A above. Match them to the problems.

| caliente | warm | warm |

C. Luister en controleer. Listen and check.

D. Schrijf in je schrift een advies voor elk van deze drie problemen. Je kunt informatie opzoeken op internet. Write in your workbook a piece of advice for each of these three problems. Feel free to use the Internet.

| morder | bijten | (to) bite |

7. ¿ES O ESTÁ? ES OF ESTÁ? ES OR ESTÁ?

A. Je gaat naar een gesprek tussen een dokter en zijn patiënt luisteren. Geef aan wat juist is. You're going to hear a conversation between a doctor and a patient. Mark the information as True or False.

| ansioso | angstig, ongerust | anxious |

B. Bestudeer de zinnen waarin ser en estar voorkomen. In welke gevallen denk je dat ser gebruikt wordt en in welke gevallen estar? Vul het schema in. Notice the use of ser and estar in the sentences. In which cases do we use each of them? Complete the box.

8. REMEDIOS NATURALES NATUURLIJKE GENEESMIDDELEN NATURAL REMEDIES

A. Hier staan drie recepten om huismiddeltjes mee te maken. Waarvoor denk je dat elk recept is? Here are three recipes for home-made remedies. What do you think each is for?

la ortiga	de brandnetel	nettle
la mascarilla	het masker	face mask
el anís	de anijs	anise
machacar	fijnstampen	(to) crush
hervir	koken (water)	(to) boil
la taza	het kopje	cup
tapar	bedekken	(to) cover
reposar	rusten	(to) rest
despacio	langzaam	slowly
la olla	de kookpot, grote pan	pot
frotar	wrijven	(to) rub
el cuero	de huid	skin
cabelludo	behaard	hairy

B. In twee recepten spreekt men over tú en in een over usted. Weet je in welke? In the recipes two of the pronouns are tú and one is usted. In which ones?

C. De dikgedrukte woorden staan in de imperativo. Weet je hoe deze tijd gemaakt wordt? Vul het schema in. The verbs in bold are in the imperative. Do you know how it is formed? Complete the tables.

D. Bestudeer de worden met voornaamwoord. Op welke plek staan deze voornaamwoorden? Notice the verbs with pronouns. What position are the pronouns in?

E. Schrijf de infinitieven van de dikgedrukte woorden op. Welke werkwoorden zijn onregelmatig? Twee daarvan hebben dezelfde onregelmatigheid als in een andere tijd. Weet je welke en om welke tijd het gaat? Write the infinitives of all the verbs in bold. Which ones are irregular? Two of them have the same irregularity as another tense. Can you work out which and they are, and which tense it is?

GRAMÁTICA GRAMMATICA GRAMMAR

tibio	lauw	lukewarm
la característica	het kenmerk, de eigenschap	feature
tumbado	liggend	laid down

9. GESTOS GEBAREN GESTURES

A. Welke gebaren en bewegingen maak je in de volgende situaties? What gestures or movement do you make in the following situations?

enfadado	kwaad	angry

B. Nu gaan jullie het uitbeelden. Één voor één moeten jullie een emotie of een gemoedstoestand uitbeelden. De anderen moeten raden om welke emotie het gaat. Now you're going to act. Taking turns, demonstrate a mood or a feeling. The others have to work out what emotion it is.

10. ¿CÓMO LO DIGO? HOE ZEG IK HET? HOW CAN I SAY IT?

A. Bekijk de gebaren op de foto's. Combineer elk woord met de bijbehorende afbeelding. Look at the gestures in the photos. In pairs, match them to the messages they express.

B. Maak jij dezelfde gebaren om hetzelfde uit te drukken? En je klasgenoot? Welke andere gebaren maken jullie? Do you make the same gestures to express those feelings? What about your classmates? What other gestures do you make?

11. CONSULTORIO SPREEKKAMER CONSULTANCY

A. Drie mensen hebben een radioprogramma aangeschreven om een advies te vragen. Bespreek in tweetallen welke adviezen jullie hen kunnen geven. Three people contacted a radio show to ask for advice. In pairs, say what advice you would give them.

proponer	voorstellen	(to) suggest

B. Luister naar de adviezen die door de expert gegeven worden. Voor wie is elk advies? Komen jullie antwoorden overeen? Listen to the advice given by the expert. Who is each piece of advice for? Does the advice coincide with yours?

12. TENGO UN PROBLEMA IK HEB EEN PROBLEEM I HAVE A PROBLEM

A. Schrijf een probleem of iets waarover je je zorgen maakt op een los blaadje. Het mag een echt of een verzonnen probleem zijn en de vragen mogen gaan over gezondheid, werk, persoonlijke relaties, etc. Onderteken met een pseudoniem. On a separate sheet of paper, write down a problem or something that's worrying you. It could be real or made up, and it could be about health, personal relationships, etc. Sign it under a pseudonym.

estresado	gestrest	stressed
el balneario	het kuuroord	spa

B. Je briefje wordt door de klas rondgegeven. Elke klasgenoot schrijft een oplossing of een advies om je te helpen op je briefje. Your note will go around the whole class. Everyone on the class will write a solution or a piece of advice on the same sheet.

C. Presenteer de adviezen van je klasgenoten voor de klas. Wat zijn de beste adviezen? Present to the whole class all the pieces advice that your classmates wrote. Which are the best?

13. NUEVOS HÁBITOS DEPORTIVOS NIEUWE SPORTGEWOONTES NEW WAYS OF EXERCISE

A. Lees de tekst over de relatie van Spanjaarden met sport en bespreek de volgende aspecten daarna met een klasgenoot: Read this text about the way the Spanish approach exercise today, and then comment on the following aspects with your partner:

según	volgens	according to
la encuesta	de enquête	survey
luchar	strijden	(to) fight
por supuesto	natuurlijk	of course
la novedad	de nieuwigheid, het nieuwtje	novelty
el pádel	het padel (sport tussen tennis en squash)	paddle tennis
la raqueta	het racket	racquet
la década	het decennium	decade
originario de	afkomstig uit	native to
minoritario	minderheids-	minority
acuático	aquatisch	aquatic
el mantenimiento	het onderhouden	maintenance
la carrera a pie	het hardlopen	running

B. Welke sporten worden in jouw land het meest beoefend? Maak een lijst en bespreek deze met je klasgenoten. Which sports or types of exercise do people do most in your country? Make a list and comment on it with your classmates.

C. Kun je een sport noemen die een tijd lang in de mode was? Leg aan je klasgenoten uit waaruit deze bestond. Als het nodig is, mag je informatie op internet opzoeken. Do you know any sport or exercise that has become fashionable recently? Tell your classmates about it. Feel free to search for information on the Internet.

9. ANTES Y AHORA VROEGER EN NU
NOW AND THEN

la circunstancia	de omstandigheid	circumstance

1. IMÁGENES DE UNA DÉCADA BEELDEN UIT EEN DECENNIUM IMAGES OF A DECADE

A. Bekijk deze afbeeldingen. Met welk decennia associeer jij ze? Look at these images. What decade do you associate them with?

el valor	de waarde	value
conservar	bewaren	(to) preserve

B. Herken je iemand op de foto's? Do you recognise anyone in the photos?

2. ESPAÑA EN LA ÉPOCA DE FRANCO SPANJE IN DE EEUW VAN FRANCO SPAIN IN GENERAL FRANCO'S TIME

A. Wat weet je over de eeuw van Franco in Spanje? Vul de zinnen aan om informatie te verkrijgen over deze periode. What do you know about Spain during General Franco's time? Complete these sentences to get more information about the period.

el preservativo	het condoom	condom
el exilio	het ballingschap	exile
el preso	de gevangene	prisoner
la pena de muerte	de doodstraf	death penalty

B. Combineer elk van deze titels met de voorgaande informatie. Now match the headlines with the information above.

aprobar	goedkeuren, toestemmen met	(to) approve
la ley	de wet	law
la frontera	de grens	border
ejecutar	executeren	(to) execute
el senado	de senaat	senate
la acogida	de ontvangst	reception
el exiliado	de banneling	exiled
la Constitución	de grondwet	constitution
la píldora	de pil	pill
emitir	uitzenden	(to) send out, (to) emit

3. TURISTAS O VIAJEROS TOERISTEN OF REIZIGERS TOURISTS OR TRAVELLERS

A. Lees dit fragment uit een artikel over reizen. Ben je het eens met wat erin gezegd wordt? Read this extract from an article about tourism. Do you agree with what it says?

B. Lees deze vragenlijst en geef aan met welke antwoorden je het het meest eens bent. Now read this questionnaire and tick the answers that you agree with most.

enriquecedor	verrijkend	enriching
hoy en día	vandaag de dag	today, nowadays
lento	langzaam	slow

C. Een journalist, gespecialiseerd in reizen, geeft zijn mening over de voorgaande thema's tijdens een radioprogramma. Komt zijn mening overeen met de jouwe? A journalist who specialises in tourism is giving her opinions in a radio programme. Do you agree with the opinions expressed?

4. HOY EN DÍA TEGENWOORDIG NOWADAYS

A. Weet je iets over Ibiza? Overleg met je klasgenoten. Do you know anything about Ibiza? Talk about it with your classmates.

B. Iemand vertelt ons iets over Ibiza. Lees de zinnen hieronder. Praat hij over nu of over de jaren 60 en 70? Someone is telling us about Ibiza. Read the sentences. Are they about now or the 60s and 70s?

la estrella	de ster	star
el directivo	de leidinggevende	executive

C. Welke woorden (werkwoorden en uitdrukkingen) hebben je geholpen te weten te komen of het over het nu of over het verleden gaat? Onderstreep ze. Which words (verbs and expressions) helped you to work out if they were talking about the past or the present? Underline them.

5. A LOS 18 AÑOS OP 18-JARIGE LEEFTIJD AT THE AGE OF 18

A. Hieronder staat een serie met gegevens over het leven van Ángel, een man uit de jaren 70. Bij welke periode uit zijn leven horen de zinnen? Geef het aan in het schema. Here is some information about the life of Ángel, a 70-year-old man. Which stage of his life do each of these things correspond to? Tick them in the box.

el pájaro	de vogel	bird
recoger	meenemen	(to) pick up
la infancia	de kindertijd	childhood
la madurez	de volwassenheid	maturity

B. Schrijf nu zelf drie momenten uit jouw leven op. Now write three sentences about different stages in your life.

6. LAS FOTOS DE LA ABUELA DE FOTO'S VAN OMA
GRANDMOTHER'S PHOTOS

A. Elsa is met haar oma van 101 foto's aan het bekijken. Welk gesprek hoort bij welke foto? *Elsa is looking at photos with her grandmother, who is 101 years old. Which conversation goes with which photo?*

la caseta	het huisje	hut
cambiarse de ropa	zich omkleden	(to) change clothes
bañarse	gaan zwemmen	(to) bath
el bañador	de zwembroek, het zwempak	swimsuit
la pieza	het stuk, gedeelte	part

B. In de gesprekken staat een aantal werkwoorden in een nieuwe verleden tijd: de pretérito imperfecto. Onderstreep deze. Waarvoor denk je dat deze tijd gebruikt wordt? *In the dialogues, some of the verbs are in a new past tense: the pretérito imperfecto. What do you think this tense is used for?*

7. YA NO TENGO TANTO TIEMPO LIBRE NU HEB IK NIET ZOVEEL VRIJE TIJD I DON'T HAVE SO MUCH FREE TIME THESE DAYS

A. Bekijk deze twee foto's van Elisa. Welke denk je dat de foto van nu en welke de foto uit het verleden is? Waarom? Luister vervolgens naar het fragment en controleer of je gelijk had. *Look at these two photos of Elisa. Which do you think is now and which was taken a few years ago? Why? Then listen and check.*

B. Je gaat luisteren naar wat Elisa vertelt. Welke van de beweringen zijn waar? *Listen again to what Elisa says. Which of these statements are true?*

cultivar	kweken	(to) grow

C. Wanneer worden ya no en todavía gebruikt? Vul de tabel in. *When do we use ya no and todavía? Complete the box.*

D. En jij? Welke dingen zijn er voor jou veranderd? Schrijf een paar zinnen op en gebruik ya no en todavía. *What about you? How have you changed? Write sentences using ya no and todavía.*

GRAMÁTICA GRAMMATICA GRAMMAR

la costumbre	het gebruik, de gewoonte	habit
el ejemplo	het voorbeeld	example
parcial	gedeeltelijk	partial
matizar	nuanceren	(to) nuance
la interrupción	de onderbreking	interruption

8. CUANDO TENÍA 10 AÑOS TOEN IK TIEN WAS WHEN I WAS 10

A. Hoe was je toen je tien was? Denk aan dingen die er toen anders waren dan nu en schrijf een kleine tekst waarin je vertelt over de meest interessante dingen. *What were you like when you were 10 years old? Think about the ways in which you were different then, and write a short text explaining the most interesting things.*

la trenza	de vlecht	plait
rubio	blond	blonde
el árbol	de boom	tree

B. De docent neemt de teksten in en verdeelt ze onder de leerlingen. Weet je wie welk stuk geschreven heeft? *The teacher is going to collect the texts and then hand them out to everybody. Do you know whose paper you have?*

9. GRANDES INVENTOS BELANGRIJKE UITVINDINGEN
GREAT INVENTIONS

A. Sommige uitvindingen en ontdekkingen zijn belangrijk geweest voor het leven van mensen. Overleg in tweetallen wat jullie de meest belangrijke uitvinding vinden en waarom. Welke dingen zouden onmogelijk of heel moeilijk geweest zijn zonder deze uitvinding? *Some inventions and discoveries have been very important for people's lives. In pairs, decide which has been the most important and why. Before this invention, what things were impossible or very different? Talk about it with a partner.*

la aparición	de verschijning	appearance
la rueda	het wiel	wheel
la imprenta	de boekdrukkunst	art of printing

B. Bespreek dit nu met de andere klasgenoten. *Now talk about it with your classmates.*

10. ¿ESTÁS DE ACUERDO? BEN JE HET EENS? DO YOU AGREE?

A. Je gaat naar een reeks van beweringen over verschillende thema's luisteren. Maak aantekeningen. *You're going to hear a series of statements about different subjects. Take notes.*

B. Bespreek in tweetallen of jullie het eens zijn met de beweringen. Zijn jullie het eens over veel dingen? *In pairs, decide whether you agree or not with the statements above. Do you have the same opinion in many cases?*

11. VIAJE AL PASADO EEN REIS NAAR HET VERLEDEN
TRIP TO THE PAST

A. Kies in groepjes van drie één van de vier eeuwen uit de geschiedenis, of een andere die jullie aanspreekt, uit. Bedenk waarom jullie graag naar deze periode willen reizen en bedenk argumenten. Jullie kunnen rekening houden met de volgende thema's: *In groups of three, choose one of these four historical periods or another one that takes your interest. Decide why you'd like to travel back to that period, and prepare your reasons. You could bear in mind these things:*

la esperanza de vida	de levensverwachting	life expectancy
la amenaza	de bedreiging	threat
la convivencia	het samenleven	coexistence
el entretenimiento	het vermaak	entertainment
la justicia	de gerechtigheid	justice

B. Elke groep presenteert haar conclusies. Om de mondelinge productie te evalueren kunnen jullie het opnemen. De rest maakt notities om later over te discussiëren. Tenslotte beslist iedereen samen welke tijd het meest interessant is om naar toe te reizen. Now each group presents its conclusions. You can record it to evaluate your oral performance. The others can take notes in order to discuss some points later. At the end, and all together, decide which one would be the most interesting period of all to visit.

12. HISTORIA DE ESPAÑA DE GESCHIEDENIS VAN SPANJE SPANISH HISTORY

A. Hieronder staat informatie over verschillende momenten in de geschiedenis van Spanje. Wat kun je over het huidige Spanje zeggen? Schrijf het op je in schrift. Here are some pieces information about different times in the history of Spain. What could be said about Spain today? Write a text in your workbook.

la península ibérica	het Iberisch schiereiland	Iberian Peninsula
hacia	richting	towards
la colonia	de kolonie	colony
el trigo	het graan, tarwe	wheat
el musulmán	de moslim	Muslim
ocupar	bezetten	(to) occupy
avanzado	geavanceerd	advanced
poderoso	machtig	powerful
pleno	vol, volledig	full
la decadencia	de decadentie	decadence
la libertad	de vrijheid	freedom

B. Samen gaan jullie een geïllustreerde geschiedenis maken. Zoek in tweetallen foto's op van periodes uit de geschiedenis en schrijf er een tekst bij. Working all together, you're going to produce an Illustrated history of your country. In pairs, find photos of the period you've chosen, and write a text.

10. MOMENTOS ESPECIALES SPECIALE MOMENTEN MAGIC MOMENTS

secuenciar	in volgorde plaatsen	(to) arrange in sequence

1. UN MOMENTO INOLVIDABLE EEN ONVERGETELIJK MOMENT AN UNFORGETTABLE MOMENT

A. Bekijk deze foto. Waarom denk je dat dit een bijzondere dag was voor Emilio? Overleg met een klasgenoot. Look at this photo. Why do you think that day was so special for Emilio? Talk about it with a partner.

B. Emilio met een vriend van hem praat over de foto. Luister en vul de missende gegeven in. Emilio is talking to a friend about the photo. Listen and complete the information he gives.

2. UN DÍA EN LA HISTORIA EEN DAG UIT DE GESCHIEDENIS A DAY IN HISTORY

A. Je gaat naar drie mensen luisteren die vertellen over een moment in de geschiedenis dat ze zich heel sterk herinneren. Over welke dag praten ze stuk voor stuk? You're going to hear three people talking about a historical moment that they remember intensely. What day is each person talking about?

el balsero	de vluchteling op vlotten	boat person
el mundial	de wereldkampioenschappen	world championship

B. Luister nogmaals naar de drie verklaringen en maak notities in je schrift. Listen again and take notes in your workbook.

C. En jij? Herinner je je een historisch moment? Beschrijf het voor je klasgenoten. What about you? Do you remember any historical occasions? Tell your classmates.

el atentado	de aanslag	attack

3. UN REBELDE CON CAUSA EEN REBEL MET EEN DOEL REBEL WITH A CAUSE

A. Reinaldo Arenas was een bekende Cubaanse schrijver. In dit fragment uit zijn boek 'Antes que anochezca' vertelt hij over een belangrijke periode uit zijn leven. Naar welk moment in de geschiedenis denk je dat de feiten uit deze tekst verwijzen? Reinaldo Arenas was a well-known Cuban author. In this extract from his book Antes que anochezca, he describes a key episode in his life. At what time of Cuba's history do you think the events he describes happened?

insoportable	ondraaglijk	unbearable
sencillamente	simpelweg	simply
alzarse	opstijgen	(to) rise up
tal vez	misschien	maybe
la batalla	de slag, strijd	battle
la proposición	het voorstel	proposal
el cuarto	de kamer	room
evidentemente	duidelijk	obviously
dispuesto	bereid	prepared
el júbilo	de vreugde	jubilation
el centavo	de cent	cent
regresar	terugkeren	(to) return
la fuerza	de kracht	power
el hito	de mijlpaal	milestone
el enfrentamiento	de confrontatie	confrontation
asumir	aannemen	(to) assume
internarse	binnendringen	(to) penetrate
liderado	geleid	controlled
el núcleo	de kern	nucleus
derrotar	verslaan, overwinnen	(to) defeat

ordenar	bevelen	(to) order
el bloqueo	de blokkade	(to) block
autorizar	autoriseren	(to) authorise
la URSS (Unión de Repúblicas Socialistas Soviéticas)	de Sovjet-Unie (voluit Unie van Socialistische Sovjetrepublieken)	USSR
renunciar	afstand doen van	(to) renounce

B. De onderstaande zinnen vatten de tekst van Reinaldo Arenas samen. Zet ze in chronologische volgorde. These sentences summarise Reinaldo Arenas's text. Put them in chronological order.

unirse	aansluiten	(to) unite

4. UN PEQUEÑO PASO PARA EL HOMBRE... EEN KLEINE STAP VOOR DE MENS... ONE SMALL STEP FOR A MAN, ...

A. Kun je de volgende historische gebeurtenissen koppelen aan het moment waarop ze gebeurden? Heb je er een (paar) meegemaakt? Match the following historical events with the date they occurred. Did you experience any of them?

la superficie lunar	het maanoppervlak	surface of the moon
el terremoto	de aardbeving	earthquake
atrapar	vangen	(to) catch

B. Schrijf in je schrift op wat de infinitieven zijn van de vetgedrukte werkwoorden uit de vorige oefening. Write the infinitive of the verbs in bold in your workbook. Then classify them according to their type of irregularity.

5. MISTERIO EN EL PARQUE EEN MYSTERIE IN HET PARK MYSTERY IN THE PARK

A. In dit gesprek vertelt Omar een ervaring die hij heeft meegemaakt aan een vriend. Wat denk je dat de verklaring is voor wat er gebeurde? In this conversation, Omar is telling a friend about an experience he had. What do you think can explain what happened?

¡Qué dices!	Wat maak je me nou!	What are you saying!
jurar	zweren	(to) swear
la duda	de twijfel	doubt
el arbusto	de struik	bush
desaparecer	verdwijnen	(to) disappear
o sea	met andere woorden, oftewel	in other words
supuestamente	zogenaamd	supposedly
oculto	verborgen	hidden
equivocarse	zich vergissen	(to) be wrong about something

B. In de tekst komen twee tijden voor: de pretérito indefinido en de pretérito imperfecto. Markeer ze op verschillende wijze. In the text, two past tenses appear: the pretérito indefinido and the pretérito imperfecto. Mark them in different ways.

C. Waarvoor dient elke tijd? Vul het schema in. What is each tense used for? Complete the box.

avanzar	vooruitgaan	(to) progress

6. EL PAQUETE HET PAKKETJE THE PACKAGE

Dit is een verhaal over een mysterie. We hebben feiten, in de pretérito indefinido, die ervoor zorgen dat het verhaal verloopt. Maak in tweetallen het verhaal compleet door zinnen in de imperfecto aan te vullen om de volgende, en andere, omstandigheden die jullie willen toevoegen, te beschrijven. This is the beginning of a mystery story. The facts that drive the story forward are in the pretérito indefinido. In pairs, complete the sentences in the pretérito imperfect to describe what happened next, as well as anything that you want to add.

el ambiente	de sfeer	atmosphere
el aspecto	het uiterlijk	appearance
la llegada	de aankomst	arrival
subir	instappen	(to) get on
bajar	uitstappen	(to) get off
la salida	de uitgang	exit
entregar	hier: aangeven	(to) hand over
allí	daar	over there
la parada	de halte	stop

7. ESTABA LLOVIENDO Y... HET REGENDE EN... IT WAS RAINING, AND...

Lees de zinnen hieronder. Waarom denk je dat de imperfecto gebruikt wordt in de zinnen aan de linkerkant en waarom de infinido in de zinnen aan de rechterkant? Read these sentences. Why do you think we use the imperfecto in the ones on the left and the indefinido in the ones on the right?

llover	regenen	(to) rain
de repente	ineens	suddenly
quemarse	verbanden	(to) burn

8. RESULTA QUE... HET BLIJKT... IT TURNS OUT THAT...

A. Lees dit verhaal het zet het in de goede volgorde. Heb je ooit iets dergelijks meegemaakt? Read this story and put it in the correct order. Has anything like that ever happened to you?

animadamente	geanimeerd	animatedly
sacar	tevoorschijn halen	(to) get

B. Begrijp je wat de vetgedrukte woorden uit de vorige oefening betekenen? Hoe zou je ze uitdrukken in je eigen taal? Do you understand the expressions in bold in the text above? How would you express the same ideas in your language?

GRAMÁTICA GRAMMATICA GRAMMAR

en mitad de	halverwege	half way
pobre	arm	poor
detenerse	stoppen	(to) stop
ensayar	repeteren	(to) rehearse
la ausencia	de afwezigheid	absence

9. LEYENDAS URBANAS STADSLEGENDES URBAN LEGENDS

A. Hier staan twee merkwaardige verhalen. Denk je dat ze waar zijn? Bespreek met een klasgenoot. Here are two strange stories. Do you think they're true? Discuss them with a classmate.

el incendio forestal	de bosbrand	forest fire
movilizar	mobiliseren	(to) mobilise
el voluntario	de vrijwilliger	voluntary
el bombero	de brandweerman	fireman
el hidroavión	het water-/ blusvliegtuig	seaplane
tardar	duren	(to) take time
apagar	doven	(to) switch off
el equipo	het team	team
el daño	de schade	damage
la sorpresa	de verrassing	surprise
el/la submarinista	de diepzeeduik(st)er	scuba diver
el depósito	het reservoir	deposit
aclararse	ophelderen	(to) clear
parar	stoppen	(to) stop
el/la guardia	de politieagent(e)	police officer
aprovechar	gebruik maken van	(to) take advantage of
huir	vluchten	(to) flee
meter	zetten	(to) put
negar	ontkennen	(to) deny
la patrulla	de patrouille	patrol
propio	eigen	your own

B. In de twee verhalen wordt over handelingen verteld, maar omschrijvingen en informatie over de omstandigheden ontbreken. Kun je deze op de goede plek zetten? Although the main facts in both stories are given, this detailed information and these descriptions are missing. Can you put them in the right place?

disponible	beschikbaar	available
la pesca	de visserij	fishing
nadie	niemand	nobody

C. Ken je andere merkwaardige verhalen? Do you know any other strange stories?

10. ¡QUÉ CORTE! WAT KORT! HOW EMBARRASSING!

A. Lees deze anekdote op de blog van een meisje van 17 jaar. Waarom schaamt ze zich? Is er jou ooit iets dergelijks overkomen? Read this anecdote that a 17-year-old put in her blog. Why was she so embarrassed? Has anything similar ever happened to you?

apretar	knellen	(to) squeeze
la boda	het huwelijk	marriage
la cremallera	de ritssluiting	zip

B. Je gaat luisteren naar drie mensen die een verhaal beginnen te vertellen. Hoe denk je dat de verhalen aflopen? You're going to listen to three people beginning an anecdote. How do you think they finish?

C. Luister en controleer. Now listen and check.

11. EL MISTERIO DE SARA HET MYSTERIE VAN SARA SARA'S MYSTERY

Een aantal dagen geleden ging Sara haar de bungalow van haar ouders. Luister naar het fragment en schrijf op wat er gebeurde toen ze aankwam. Gebruik minimaal tien van de onderstaande woorden. Some days ago, Sara went to her parents' house in the country. Listen to the audio and describe what happened when she arrived. Use at least ten of these words.

la cerilla	de lucifer	match
la copa	het glas	glass
la vela	de kaars	candle
la escalera	de trap	stairs
el ruido	het geluid	noise

12. MOMENTOS MOMENTEN MOMENTS

A. Heb je een moment zoals die hieronder staan beleefd? Kies er een uit en probeer je te herinneren wat de omstandigheden waren waaronder het gebeurde. Je mag ook een verhaal verzinnen. Have you ever experienced a moment like these ones? Choose one and try to remember the circumstances, and what happened. You could also invent a story. anything similar ever happened to you?

emocionarse	geëmotioneerd raken	(to) be moved
reírse	lachen	(to) laugh

B. Vertel het verhaal aan je klasgenoten. Wie heeft de meest indrukwekkende of interessante anekdote? Jullie kunnen het opnemen om je mondelinge productie te evalueren. Tell it to your classmates. Who told the most interesting or shocking anecdote? You can record your stories to evaluate your own speaking.

GLOSARIO POR UNIDADES

13. EL ORIGEN DE LAS COSAS DE OORSPRONG VAN DE DINGEN THE ORIGIN OF THINGS

A. Lees de legendes (een Mexicaanse en een Guaraanse). Welke vind je het leukst? Waarom? Bespreek met je klasgenoten. Read these two texts (one Mexican and one Guaraní). Which do you like most? Talk about it with your classmates.

oralmente	mondeling	orally
indígena	inheems	indigenous
el murciélago	de vleermuis	bat
desgraciado	erbarmelijk, schamel	miserable
la mariposa	de vlinder	butterfly
desnudo	naakt	naked
la pluma	de veer	feather
el Creador	de Schepper	Creator
el ave	de vogel	bird
el modo	de manier	manner
bello	mooi	beautiful
a partir de	vanaf	from
agitar	bewegen, beroeren	(to) move
el ala	de vleugel	wing
incluso	zelfs	even
el arco iris	de regenboog	rainbow
odiar	haten	(to) hate
el cielo	de hemel	heaven
presumir	opscheppen	(to) brag

burlarse de	bespotten	(to) make fun of
ofender	beledigen	(to) insult
cazar	jagen	(to) hunt
imaginario	imaginair, denkbeeldig	imaginary
la yerba	het kruid	herb
la mate	Zuid-Amerikaanse thee	South American tea
la luna	de maan	moon
la nube	de wolk	cloud
rosado	roze	pink
nocturno	nachtelijk	night, nocturnal
de pronto	ineens	suddenly
atacar	aanvallen	(to) attack
matar	doden	(to) kill
la flecha	de pijl	arrow
instantáneamente	meteen, direct	directly
como	aangezien	like
recompensar	compenseren	(to) reward
la fatiga	de vermoeidheid	fatigue
aligerar	verlichten	(to) lighten

B. Bestaan er in jouw cultuur dit soort legendes? Kies er een uit en schrijf in het Spaans een tekst waarin je het verhaal in eigen woorden vertelt. Je kunt informatie opzoeken op internet. Does your culture have legends like these? Choose one and write a text in Spanish telling the story in your own words. Feel free to search for information on Internet.

ENUNCIADOS
MÁS EJERCICIOS

1. EL ESPAÑOL Y TÚ HET SPAANS EN JIJ SPANISH AND YOU

1. Vul aan met jouw persoonlijke informatie. Complete this with your own information.

2. Vul de zinnen aan met porque of para. Complete the sentences with porque or para.

3. Schrijf een tekst zoals die van het artikel in oefening 3 (bladzijde 13) waarin je uitlegt hoe je je voelt tijdens de Spaanse lessen (wat je leuk vindt, wat je niet leuk vindt, wat je de meeste moeite kost etc.). Write a text like the ones in the article in activity 3 (page 13) saying how you feel in Spanish class (what you like, what you don't like, what seems hard, etc).

4. Vul de tekst in door de werkwoorden in de vakjes in de tegenwoordige te zetten. Complete the text by conjugating the present tense of the highlighted infinitives.

5. Vervoeg de werkwoorden in deze tekst naar de eerste persoon enkelvoud in de tegenwoordige tijd en geef onderaan aan wat Maria's werk is. Conjugate the first person singular of the presente indicativo tense of the verbs in this text, and write below what Maria's profession is.

6. Schrijf een tekst zoals die in oefening 4 op bladzijde 14 waarin je uitlegt waar je woont, wat voor werk je hebt en hoe je dag eruit ziet. Write a text like the ones in activity 4 (page 14) saying where you live, what your job is, and what your daily routine is like.

7. Bedenk een mogelijke vraag voor elk antwoord. Write a possible question for each answer.

8. Luister naar het interview en vul de zinnen aan met de informatie uit het interview. Listen to this interview and complete the sentences with the information the interviewee gives.

9. Onderstreep in elke zin de juiste optie. Underline the correct option in each of the following sentences.

10. Wat raad je aan om deze problemen met het Spaans op te lossen? What would you recommend to help solve these problems with learning Spanish?

11. Vul de zinnen aan met je eigen ervaringen. Finish these sentences, according to your own experience.

12. Koppel elk van de volgende problemen aan het bijbehorende gesprek. Match each of these problems with the corresponding dialogues.

13. Vul het formulier in met culturele informatie over de Spaanstalige landen. Als het nodig is, kun je informatie op het internet opzoeken. Complete this file card with cultural information about Spanish-speaking countries. If necessary, do an Internet search.

14. Zet de woorden in de juiste zin. Complete these sentences with the best option.

15. Beluister de zinnen uit de vorige opgave. Hoor je het verschil in de uitspraak van deze woorden? Now listen to the sentences from the previous activity. Can you hear the differences in pronunciation between the words?

16. Uit welke taal denk je dat deze Spaanse woorden komen? Zoek het op in het RAE-woordenboek (www.rae.es/drae) om te kijken of je het goed had. Which language do you think these Spanish words originally come from? Look them up in the Real Academia Española (ww.rae.es/drae) and check your predictions.

17. Vul de schema's in met informatie over jouw relatie met talen. Complete these boxes with information about your relationship with languages.

18. Vul de ontbrekende bijvoeglijke naamwoorden en zelfstandige naamwoorden in het schema in. Je mag opdracht 3 op bladzijde 13 bekijken. Complete this with nouns and adjectives. You can check with Activity 3 on page 13.

19. Mijn woordenschat. Schrijf op welke woorden je uit dit hoofdstuk wilt onthouden. My vocabulary. Note down the words from this unit that you want to remember.

2. UNA VIDA DE PELÍCULA EEN LEVEN UIT DE FILM JUST LIKE A MOVIE

1. Wat deden deze mensen? Vul de werkwoorden in. What did these people do? Complete the sentences with these verbs.

2. Lees de tekst over Amenábar op bladzijde 25 en beantwoord de vragen. Read the text on page 25 about Amenábar, and answer these questions.

3. Kies een van de onderstaande films van Alejandro Amenábar en zoek hierover informatie op het internet op. Vul vervolgens het formulier in. Choose one of the following films by Alejandro Amenábar. Do an Internet search to complete the file card.

4. Noteer een aantal biografische gegevens in je schrift van een filmregisseur of van een acteur/actrice uit jouw land. In your notebook write some biodata about a film director, an actor or actress from your country.

5. Vul de ontbrekende werkwoordsvormen in. Complete the box with the missing verb forms.

6. Je gaat luisteren naar iemand die praat over de beste ervaring uit zijn leven. Geef aan welk antwoord juist is. You're going to hear someone talking about the best experience of her life. Choose the correct options.

7. Over wie praten ze in elk geval? Who are they talking about in each case?

8. Geef aan welke vormen van de pretérito indefinido je in de zinnen van de vorige oefening tegenkomt en zet ze op de goede plek in het schema hieronder. Kun je de overgebleven vormen ook opschrijven? Mark all the examples of the pretérito indefinido in the previous activity, and put them in the right place in the box. Can you write in the rest of the forms?

9. Zet de uitdrukkingen hieronder in chronologische volgorde. Put these time adverbials in chronological order.

10. Vul de zinnen hieronder aan met persoonlijke informatie uit het verleden. Finish the sentences with personal information about your past.

11. Schrijf jouw CV in het Spaans. Write your CV/Résumé in Spanish.

12. Vul de zinnen aan met hace, desde, hasta, de, a, después en durante. Complete the sentences with hace, desde, hasta, de, a, después and durante.

13. Chavela Vargas is a legendary figure in Mexican music. Read her biography and complete it using the conjugated forms of the pretérito indefinido of the verbs shown in the tabs. Chavela Vargas is een legende van het Mexicaanse lied. Lees haar biografie en zet de werkwoorden in de labels in de pretérito indefinido op de juiste plek in de tekst.

14. Lees deze werkwoorden hardop en geef aan waar de klemtoon ligt. Controleer je antwoorden door te luisteren naar het fragment en kies vervolgens de juiste optie bij elke regel uit. Read these verbs aloud and mark the main stress. Then check with the audio and tick the correct option for each rule.

15. Zoek woorden in de tekst op bladzijde 25 die overeenkomen met de onderstaande definities. In the text on page 25, find words that correspond to these definitions.

16. Welke dingen doet iemand gedurende zijn leven? Je kunt woorden uit het hoofdstuk gebruiken of opzoeken in een woordenboek. What things do people normally do through the course of their life? Write it down. Use words from the unit, or use a dictionary.

17. Koppel de elementen uit de twee kolommen zodat er mogelijke combinaties ontstaan. Match the elements from the two columns to make collocations.

18. Verzin iemands' biografie. Er moeten tenminste vijf van de uitdrukkingen uit de vorige oefeningen in voorkomen. Invent someone's biography. Use at least five of the expressions from the previous activity.

19. Onderstreep het goede antwoord in elke situatie. Vertaal ir en irse naar je eigen taal. Underline the correct option in each case. Then translate ir and irse into your language.

20. Mijn woordenschat. Schrijf op welke woorden je uit dit hoofdstuk wilt onthouden. My vocabulary. Note down the words from this unit that you want to remember.

3. HOGAR, DULCE HOGAR HOME, SWEET HOME HOME, SWEET HOME

1. Zoek op een makelaarssite uit je land twee woningen die je leuk vindt. Beschrijf waar ze liggen, wat de prijs is en wat de belangrijkste kenmerken zijn. Find two houses that you like on a real estate website in your country. Write where they are, how much they cost, and what their main features are.

2. Stel je voor dat je een huisgenoot zoekt. Maak een kleine beschrijving van je woning om als advertentie op het schoolbord te hangen. Imagine that you want to share your flat/apartment. Write a description to post on the noticeboard of your college.

3. Bekijk deze foto's en beschrijf welke meubelen en objecten genummerd zijn. Look at these two photos and describe the numbered furniture and objects.

4. Luister naar de beschrijving van deze kamer en schrijf de drie dingen op die niet overeenkomen met de tekening. Listen to this description of a room, and write down the three things that don't correspond with the drawing.

5. Dit zijn de huizen van Pepe en Julio. Schrijf tenminste vijf zinnen op waarin je de huizen met elkaar vergelijkt. One of these houses is Pepe's and the other is Julio's. Write at least five sentences comparing them.

6. Lees de volgende zinnen en vul ze op basis van je eigen situatie aan. Read the following sentences and respond according to your real situation.

7. Lees de volgende lijst met aspecten die men overweegt als er een woning uitgekozen moet worden. Kun je nog drie dingen aan de lijst toevoegen? Read the following list of features that are often considered important when choosing a house. Can you add three things to the list?

8. Welke aspecten van een woning zijn het belangrijkst voor jou? Schrijf ze op. What aspects of a house are most important for you? Write them down.

9. Lees de volgende tekst. Denk je dat jouw huis voldoet aan de normen van Feng Shui? Beschrijf aan welke aspecten uit de theorie jouw huis wel en niet voldoet. Read the following text. Do you think your house is in line with Feng Shui? Write down the ways in which your house follows the theory and which don't.

10. Rangschik de woorden op basis van de klank van de vetgedrukte letters. Luister en controleer je antwoord. Classify these words according to the letters in bold. Then listen to check.

11. Maak een lijst van de huizen die in jouw stad, regio of land het meest voorkomen. Schrijf ook op welk type mensen meestal in dit soort huis woont. Make a list of the most common types of house in your town, region or country. Write what type of people usually live in them.

12. In welk deel van het huis staan deze dingen normaalgesproken? Kun je nog meer dingen toevoegen? Zoek de woorden die je niet kent op in een woordenboek of op internet. What part of the house are these things normally in? Can you add more things? Use a dictionary or the Internet to find words you don't know in Spanish.

13. Verdeel de woorden uit de vorige opdracht onder in mannelijke of vrouwelijke woorden en noteer ook het voornaamwoord. Classify the nouns above into masculine and feminine. Add the indefinite article.

14. Van welk materiaal zijn de onderstaande meubels gemaakt? What material are these pieces of furniture made of?

15. Beschrijf de kenmerken van je ideale huis. Write down the features of your ideal house.

16. Vul het schema in met woorden of uitdrukkingen die je je uit dit hoofdstuk herinnert. Complete the boxes with words and expressions that you remember from this unit.

17. Zoek alle woorden en uitdrukkingen in dit hoofdstuk op die we kunnen combineren met deze werkwoorden en classificeer ze. In the unit, find all the words and expressions that collocate with these verbs, and classify them.

18. Mijn woordenschat. Schrijf op welke woorden je uit dit hoofdstuk wilt onthouden. My vocabulary. Note down the words from this unit that you want to remember.

4. ¿CÓMO VA TODO? HOE GAAT ALLES/HET? HOW'S IT GOING?

1. Schrijf de ontbrekende werkwoordsvormen op. Write in the missing verb forms.

2. Luister naar deze zinnen. Worden de mensen met je of met u aangesproken? Noteer de woorden waaraan je dat afleidt. Listen to these sentences. Is the listener being addressed as tú or usted? Note down which words make that clear to you.

3. Met welke infinitieven corresponderen de volgende onregelmatige gerundio's? What infinitives do these irregular gerunds correspond to?

4. Deze klas is nogal bijzonder. Wat doet iedereen? Schrijf het op. This is a strange classroom. What's each person doing? Write it down.

5. Schrijf een brief naar een vriend of vriendin die je al een aantal weken niet hebt gezien en vertel wat je tegenwoordig doet. Write a postcard to a friend you haven't seen for a few weeks, and tell him/her what you're doing these days.

6. Welke dingen doe je in deze Spaans cursus? Schrijf er vijf op. What things are you doing in your Spanish course now? Write five more.

7. Voltooi de zinnen. Complete these sentences.

8. Waar denk je dat de personen die in de vorige activiteit aan het woord waren zich bevinden? Where do you think the people from the previous activity are?

9. Hoe zou je de onderstaande dingen aan een klasgenoot vragen? Zet ze in de goede kolom. How would you ask a classmate for these things? Classify them into the corresponding columns.

10. Beantwoord deze verzoeken van een vriend. Bedenk een bevestigend- en een ontkennend antwoord met een excuus. Respond to these requests from a friend. Think of a positive response or a negative one with an excuse or reason.

11. Lees deze tekst over culturele verschillen die met beleefdheid te maken hebben. Geef daarna aan wat men van jouw cultuur normaalgesproken doet als de dingen uit de tabel gebeuren. Je kunt elk punt toelichten in je schrift. Read this text about cultural differences with regard to courtesy. Then tick the things in the box that you normally do in your country. Comment on each of the points in your notebook.

12. Dit is de pyramide van formaliteit. Schrijf op elk niveau twee zinnen waarmee je het volgende zou uitdrukken: This is the formality pyramid. For each level, write two sentences to express:

13. Luister naar deze woorden en geef aan of Susan of Susana ze uitspreekt. Listen to these words and tick if they're said by Susan or Susana.

14. Lees de tongbrekers hardop voor en oefen de uitspraak. Luister je of je het goed gedaan hebt. Read these tongue-twisters aloud to practise the pronunciation. Then listen and check.

15. Maak met deze elementen uitdrukkingen om te begroeten en om afscheid te nemen. Make expressions for greeting and leaving from these chunks.

16. Deel de uitdrukkingen uit de vorige activiteit in in begroetingen of afscheid. Classify the expressions from the previous activity into greetings and leave-taking.

17. Mijn woordenschat. Schrijf op welke woorden je uit dit hoofdstuk wilt onthouden. My vocabulary. Note down the words from this unit that you want to remember.

5. GUÍA DEL OCIO VRIJETIJDSGIDS LEISURE TIME

1. Bekijk de informatie uit het tijdschrift Que hacer hoy op bladzijde 60. Zoek tenminste één plek die... Look at the information from the magazine Qué hacer hoy on page 60. Find at least one place:

2. Zet de kopjes boven de juiste alinea in het onderstaande artikel over Sevilla. Put one of these headings on each paragraph of the following article about Seville.

3. Stel je voor dat je een dag in Sevilla doorbrengt. Bekijk de informatie uit de vorige activiteit en maak in je schrift een dagplanning met activiteiten die je het meest interesseren. Imagine that you're going to spend a day in Seville. Consult the information from the previous activity and plan your activity for the day. Use your notebook.

4. Zoek informatie op het internet een maak een kleine gids over een andere stad uit de Spaanse wereld. Do an Internet search and make a brief guide to another city in the Spanish-speaking world.

5. Schrijf het participium van deze werkwoorden op. Write the past participle of these verbs.

6. Hieronder staat een serie objecten afgebeeld. Bedenk wat Pedro hier vandaag mee gedaan heeft en schrijf een aantal zinnen op. Here is a list of objects. Imagine what Pedro has done with them today, and write sentences.

7. Schrijf vijf interessante dingen op die jij dit jaar gedaan hebt. Write five interesting things that you've done this year.

8. Stel je voor dat een waarzegster een maand geleden de successen in je werk en je persoonlijke leven voorspeld heeft. Zijn ze uitgekomen? Imagine that you went to a fortune-teller a month ago, and she predicted these things in your professional and personal life. Have they come true?

9. Hieronder staat een aantal titels uit de krant. Schrijf bij elk van de titels op wat er gebeurd is. Here is a list of newspaper headlines. Write what happened in each case.

10. Je hebt een vijftien daagse reis naar een paradijselijk eiland in de Cariben gewonnen. Welke dingen ga je daar doen? Schrijf ze op. You've won a 15-day trip to a paradisiacal Caribbean island. What are you going to do there? Write it down

11. Luister nu naar Andrea die praat over haar plannen in Valencia en voltooi de tekst. Listen again to Andrea talking about her plans in Valencia, and complete the text.

12. Hieronder staat het reisdagboek van Carmen in Argentinië. Onderstreep de ervaringen (wat ze gedaan heeft) en haar plannen (wat ze gaat doen). Verdeel ze daarna over de tabel. Here is Carmen's travel diary for her trip to Argentina. Underline her experiences (what she has done) and her plans (what's she's going to do). Then note it down in the boxes.

13. Een zelfde klank kan geschreven worden met verschillende letters. Luister naar deze woorden en orden ze op hun geluid: /k/ of /θ/. The same sound can be represented by different letters. Listen to these words and classify them according to their sound: /k/ or /θ/.

14. Bestudeer de verdeling van de woorden uit de vorige oefening en vul nu de spellingsregel in. Look at this classification of the words from the previous activity and complete the orthographic rule.

15. Schrijf de openingstijden van de onderstaande gelegenheden in jouw land op. Write the normal opening times of these places in your country.

16. Schrijf woorden die je kent en te maken hebben met de onderstaande thema's op. Je mag het hoofdstuk doorzoeken. Write down the words that you know that are related to these subjects. Look back at the unit if necessary.

17. Welke dingen doe jij als je op reis bent? Schrijf je vijf favoriete bezigheden op. What things do you do when you're away on holiday? Write down your favourite five.

18. Schrijf van mensen die je kent op wat zij het liefst in hun vrije tijd doen. Write down the favourite leisure activities of people you know.

19. Met welke plekken komen deze beschrijvingen overeen? De woorden komen uit het hoofdstuk. What places do these definitions correspond to? The words all appear in the unit.

20. Mijn woordenschat. Schrijf op welke woorden je uit dit hoofdstuk wilt onthouden. My vocabulary. Note down the words from this unit that you want to remember.

6. NO COMO CARNE IK EET GEEN VLEES I DON'T EAT MEAT

1. Hoeveel kosten deze producten in jouw land? Je mag de website van een supermarkt raadplegen. How much do these things cost in your country? If you like, consult the website of a supermarket chain you know.

2. Je moet voor een dag boodschappen doen en gaat naar de supermarkt op bladzijde 72, maar je hebt maar 10 euro. Wat ga je eten en wat ga je kopen? Noteer het op de boodschappenlijst. You have to do the shopping for one day. You're going to do it at the supermarket on page 72, but you only have 10 Euros. What are you going to eat and what are you going to buy? Write your shopping list.

3. Weet je het recept van een gerecht dat makkelijk klaar te maken is? Het kan een typisch gerecht uit jouw land zijn. Schrijf het op in je schrift. Do you know the recipe for a simple dish? It could be something that's typical in your country. Write it down in your notebook.

4. Wat moet je doen om gezond te leven? Schrijf vijf adviezen op die jij belangrijk vindt. What should you do to lead a healthy life? Write five pieces of advice that you think are important.

5. Wil je een bekende Spaanse kok leren kennen? Lees deze kleine tekst. Do you want to know about a famous chef in Spain? Read this short text.

6. Hieronder staat een aantal trucjes van de bekende kok uit de vorige oefening. Maak de zinnen compleet door de ontbrekende voornaamwoorden van het lijdend voorwerp in te vullen (lo, las, los, las). Here are some tips from the famous chef in the previous activity. Complete them with the missing direct object pronouns: lo, la, los, and las.

7. Schrijf een kleine tekst over een bekende kok uit jouw land. Zoek informatie op internet. Write a short text about a famous chef in your county. Do an Internet search if you like.

8. Rebeca komt terug van de supermarkt. Benoem wat ze heeft gekocht en schrijf daarna zinnen die uitleggen waar ze de boodschappen neergelegd heeft: in de koelkast of in de (keuken-)kast. Rebeca has just done the shopping at the supermarket. Identify what she has bought. Then write sentences to say where she's put the things: in the fridge or the cupboard.

9. Verbind de vragen met de antwoorden. Match the questions with the answers.

10. Maak de zinnen op een logische manier compleet. Finish these sentences in a logical way.

11. Hieronder staat een interview dat in een kooktijdschrift gepubliceerd is. Kun je elke vraag met het juiste antwoord koppelen? This interview was published in a food magazine. Match the questions to the answers.

12. Beantwoord nu zelf de vragen uit de vorige oefening. Now give your own answers to the questions from the previous activity.

13. Vieringen zijn anders in elk land: bruiloften, verjaardagen... Welke soort viering vind jij het leukst? Hoe wordt die in jouw land gevierd? Celebrations are different in every country; weddings, funerals, and so on. What type of celebration do you like most? How do you celebrate it in your country?

14. Luister en vergelijk de uitspraak van de c en de z. Geef vervolgens aan waar de mensen die ze uitspreken vandaan komen. Listen, and compare the pronunciation of c and z, and tick where the speakers are from.

15. Doe hetzelfde voor de uitspraak van de y en de ll. Waar komen de mensen die aan het woord zijn vandaan? Do the same with the pronunciation of y and ll. Where are the speakers from?

16. Verbind de werkwoorden met de juiste illustratie. Match the verbs with the illustrations.

17. Schrijf in je schrift op wat men normaalgesproken met deze producten doet. Write in your workbook what you normally do with these products.

18. Verbind. Er kunnen meerdere mogelijkheden zijn. Match the two columns. Several options are valid.

19. Naar welk voedingsmiddel verwijzen deze beschrijvingen? What food or drink do these descriptions refer to?

20. Noteer in je schrift omschrijvingen van deze vier voedingsmiddelen. Describe these four foodstuffs in your Workbook.

21. Schrijf de hoeveelheden uit. My vocabulary. Note down the words from this unit that you want to remember.

22. Mijn woordenschat. Schrijf op welke woorden je uit dit hoofdstuk wilt onthouden. My vocabulary. Note down the words from this unit that you want to remember.

7. NOS GUSTÓ MUCHO HET BEVIEL ONS HEEL ERG GOED WE ABSOLUTELY LOVED IT

1. Luister naar een gesprek tussen twee vrienden en vul de ontbrekende uitdrukkingen in. Listen to this conversation between two friends and complete the expressions that have parts missing.

2. Wat zou je graag willen doen? What would you like to do:

3. Lees de teksten uit oefening 3 (bladzijde 85) nog een keer door en schrijf zelf een aantal soortgelijke teksten die je favoriete cd, boek en film omschrijven. Je kunt informatie op internet opzoeken. Read the texts for Activity 3 8page 85) again, and write similar texts describing your favourite album, book or film. Do an Internet search if you like.

4. Maak de zinnen compleet door de werkwoorden naar de pretértio perfecto of de pretérito indefinido te vervoegen. Let goed op de signaalwoorden van tijd. Complete these sentences by conjugating the verbs in the pretérito perfecto or the pretérito indefinido. Pay special attention to the time adverbials.

5. Schrijf de bijbehorende vorm in de pretérito perfecto of de pretérito indefinido op. Write the corresponding forms in the pretérito perfecto or the pretérito indefinido.

6. Schrijf zinnen over jezelf op en gebruik de onderstaande signaalwoorden. Write sentences about you using these time adverbials.

7. Dit is het dagboek van Ricardo. Lees het door en maak de zinnen compleet door de juiste vorm van parecer, gustar, encantar... in te vullen. This is Ricardo's diary. Read it and finish the sentences using parecer, gustar and encantar.

8. Verbind de zinnen met een logisch vervolg. Match these phrases with their logical continuation.

9. Kies in elke zin het juiste voornaamwoord uit. Choose the best pronoun in each case.

10. Tristán, de hoofdpersoon uit opgave 8 op bladzijde 92, heeft een tweelingbroer, Feliciano die vrolijk en optimistisch is en altijd een goed humeur heeft. Bedenk hoe zijn email, waarin hij verteld wat hij zaterdag gedaan heeft, eruit zou zien en schrijf het op. Tristán, the leading character in Activity 8 on page 91, has a twin brother, Feliciano, who is upbeat, optimistic and always in a good mood. Write his email saying what he did last Saturday.

11. Zijn de onderstaande zinnen mededelingen of uitroepen? Luister en zet de juiste symbolen/interpunctie (./!¡) erbij. Are the following sentences statements or exclamations? Listen to them and add the appropriate punctuation (./!).

12. Bestudeer de mededelingen uit de vorige oefening en lees ze voor alsof ze uitroepen waren. Luister vervolgens naar het fragment en controleer of je het hetzelfde deed. Look at the statements in the previous activity, and read them as if they were exclamations. Then listen to the audio again and compare.

13. Zoek bijvoeglijke naamwoorden in dit hoofdstuk om de onderstaande dingen mee te waarderen en beschrijven en schrijf ze op in het schema. Find adjectives in the unit that express opinions or describe the following things. Write them in the box.

14. Reageer op de zinnen door een uitroep met que en een bijvoeglijk- of een zelfstandig naamwoord te combineren. Respond to these situations using an exclamation with qué. Use these adjectives and nouns.

15. Vul elke zin op een logische manier aan met de onderstaande woorden. Finish the sentences in a logical way with one of the following words.

16. Maak de informatie over jezelf compleet. Complete this with information about you.

17. Mijn woordenschat. Schrijf op welke woorden je uit dit hoofdstuk wilt onthouden. My vocabulary. Note down the words from this unit that you want to remember.

8. ESTAMOS MUY BIEN MET ONS GAAT HET HEEL GOED WE'RE DOING FINE

1. Lees de tekst uit oefening 2 op bladzijde 96. Verbind daarna de juiste elementen uit de kolommen hieronder om samenhangende zinnen mee te maken. Read the text for activity 2 on 96. Then match the elements in the two columns to make coherent sentences.

2. Wat kunnen we doen om gezond te leven? Zoek informatie op internet en vul de zinnen in. What can we do to lead a healthy life? Find information on the Internet and finish the sentences.

3. Kies de juiste optie voor elke situatie. Choose the best option.

4. Vul de onderstaande zinnen op de juiste plek in het gesprek in. Write these questions in the best place in the conversation.

5. Schrijf op welke gezondheidsproblemen je vaak had en wat je kunt doen om ze te voorkomen of te genezen. Write down what health problems you tend to have, and what you do to prevent them or cure yourself.

6. Lees de tekst over stress. Noteer vervolgens wat, volgens de tekst, de oorzaken en mogelijke oplossingen zijn. Read the following text about stress. Then write the causes and possible solutions.

7. Vul de tegenwoordige tijd van ser en estar in. Complete this using the present of ser and estar.

8. Welk van de woorden in de eerste kolom zijn te combineren met het werkwoord ser, welke met estar, en welke met beide? Geef het aan en schrijf een voorbeeld voor elk geval op. Which words in the first column go with ser, which go with estar, and which can go with both? Mark them, and write an example for each one.

9. Vul de vormen van de bevestigende imperatief in. Complete this with the affirmative imperative forms.

10. Met welk infinitief komen de vormen van de imperatief overeen? Schrijf ze op. Which infinitive do these imperative forms correspond to? Write them in.

11. Deze zinnen komen uit gezondheidscampagnes. Vul ze aan met de jij-vorm van het juiste werkwoord in de imperatief. Here are some sentences from health campaigns. Complete them with the best verb in the tú form of the imperative.

12. Een dokter geeft adviezen in een radioprogramma aan een patiënt die regelmatig schor is. Vul de schema's hieronder in met de adviezen die de dokter geeft. In a radio programme, a doctor is giving advice to a patient who often loses his voice. Complete the notes with the advice the doctor gives.

13. Lees deze mail die gericht is aan de 'spreekkamer' van het tijdschrift Salud en schrijf een antwoord. Wat beveel jij de jongen, die deze brief geschreven heeft, aan? Find this email sent to the advice section of the magazine Salud, and write a response. What would you suggest for the man who wrote the email?

14. Lees de onderstaande woordseries hardop voor. Hoe spreek je ze uit? Luister vervolgens naar het fragment om te controleren of je ze ook zo uitsprak. Read this series of words aloud. How do you pronounce them? Then listen to the audio and compare.

15. Schrijf de namen van de aangegeven lichaamsdelen op. Je mag het woordenboek gebruiken. Write in the missing names of the parts of the body indicated on the drawing. You can use a dictionary.

16. Zoek op pagina 104 sporten op die aan de onderstaande beschrijving voldoen. Schrijf vervolgens zelf drie omschrijvingen van andere sporten op. Find the sports or activities that match these descriptions on page 104. Then write three more descriptions of sports or activities.

17. Koppel estar en tener aan de woorden over gezondheid zodat je met deze combinaties gezondheidsproblemen vormt. Match estar and tener with the words on the right to make health problems.

18. Met welke lichaamsdelen associeer jij de problemen uit de vorige oefening? What parts of the body do you associate the above health problems with?

19. Mijn woordenschat. Schrijf op welke woorden je uit dit hoofdstuk wilt onthouden. My vocabulary. Note down the words from this unit that you want to remember.

9. ANTES Y AHORA VROEGER EN NU NOW AND THEN

1. Vul het schema in met de regelmatige vormen van de pretérito imperfecto. Complete the box with the regular forms of the pretérito perfecto.

2. Vul de drie onregelmatige vormen van de pretérito imperfecto in. Now complete this box with the irregular forms of the three verbs in the pretérito perfecto.

3. Bekijk deze twee afbeeldingen van Fernando en beschrijf ze. Welke dingen zijn er veranderd? Look at these two pictures of Fernando and describe them. How has he changed?

4. Edurne vertelt een vriendin over hoe ze vroeger was. Geef de juiste optie in elke situatie aan. Edurne is telling a friend what she was like before. Choose the correct option in each case.

5. Denk aan iemand uit je familie: je vader, je oma... Denk aan waar hij/zij woonde toen hij/zij jong was, welke dingen hij/zij deed om plezier te hebben, hoe het leven in een andere eeuw was etc. Schrijf daarna een tekst waarin je jullie levens vergelijkt en uitlegt welke dingen je beter en slechter lijken. Think of someone in your family: your father, your grandmother, etc. think where they lived as a young person, what their house was like, what things they did in their free time, what life was like at that time, etc. then write a text comparing your life to theirs, and saying which things are better or worse.

6. Hieronder staat een fragment uit de biografie van een bekende persoon. Wie is het? Pablo Picasso, Antoni Gaudí of Gabriel García Márquez? Schrijf het onderaan op. Here is an extract from a famous person's biography. Who is it: Pablo Picasso, Antoni Gaudí or Gabriel García Márquez. Write the name below.

7. Wie is je favoriete bekende persoon? Weet je veel over zijn/haar leven? Schrijf een kleine tekst over hoe zijn/haar leven was voordat hij/zij beroemd was. Zoek informatie op internet op. Who is your favourite historical figure? What do you know about their life? Write a short text about what their life was like before becoming famous. Use the Internet if you like.

8. Vul de vormen van de pretérito imperfecto in. Complete these sentences with verbs in the pretérito imperfecto.

9. Ya no of todavía? Kies uit welke in jouw mening de juiste is en maak de zinnen compleet. ¿Ya no or todavía? Choose one of the two to complete the sentences, according to your opinion.

10. Naar welk moment in het verleden verwijzen deze mensen? Vul mogelijke informatie in. What moment of their past are these people talking about? Complete the texts with information that is possible.

11. Schrijf over je eigen ervaring en gebruik het model uit de vorige activiteit als basis. Write about your own experience using the text in the previous activity as a model.

12. Vul de woorden in de zinnen in. Welke woorden staan in de pretérito imperfecto? Complete the sentences with these words. Which verbs are in the pretérito imperfecto tense?

13. Oefen de uitspraak van ia en ía terwijl je deze woorden hardop leest. Luister daarna naar het audiofragment om te controleren of je het goed gedaan hebt. Practise the pronunciation of ia and ía reading these words aloud. Then listen to the audio and check if you're doing it well.

14. Spreek de zinnen uit oefening 12 hardop uit. Heb je ze goed uitgesproken? Luister en controleer. Say the sentences on activity 12 aloud. Are you pronouncing them well? Listen to the audio and check.

15. Lees de volgende meningen. Ben je het ermee eens? Schrijf jouw mening op. Read the following opinions. Do you agree? Write your opinion.

16. Over welke uitvinding of ontdekking gaan de teksten? Schrijf het op. What invention or discovery is each text about? Write it down.

17. Kies twee van deze uitvindingen. Zoek informatie op internet op en schrijf een kleine tekst zoals die in de vorige oefening. Choose two of these inventions. Find information on the Internet and write a short text like the ones in the previous activity.

18. Zoek woorden op in het hoofdstuk die met deze thema's te maken hebt. Je mag ook andere dingen die je kent toevoegen. Find words in the unit that are related to these topics. You can add others that you know.

19. Mijn woordenschat. Schrijf op welke woorden je uit dit hoofdstuk wilt onthouden. My vocabulary. Note down the words from this unit that you want to remember.

10. MOMENTOS ESPECIALES SPECIALE MOMENTEN MAGIC MOMENTS

1. Hieronder staan de belangrijkste gebeurtenissen in de geschiedenis van Cuba. Verbuig de werkwoorden naar de pretérito indefinido. Here are the key moments in the history of Cuba. Conjugate the verbs in the pretérito indefinido.

2. Vul de vormen van de pretérito indefinido in de tabellen in. Complete these boxes with pretérito indefinido forms.

3. Hoe waren deze mensen of dingen? What were these people or places like?

4. Onderstreep de beste optie in elke situatie. Underline the best option in each case.

5. Stel je voor dat je iets wonderlijkst is overkomen. Schrijf een kaartje waarop je dit uitlegt. Hieronder staat een aantal elementen dat je kan helpen. Je kunt ze, als dat nodig is, aanpassen of andere gebruiken of de verbuiging veranderen. Gebruik ook de signaalwoorden van tijd die nodig zijn. Imagine that something surprising has happened to you. Write a letter explaining it. Here's a list of things that could help you, but you can change them if necessary, or use others, or change the characters. Use the appropriate time adverbials.

6. Daniel is een jongen die niet echt veel geluk heeft. Alles gaat verkeerd. Voltooi de zinnen door te vertellen welke dingen hem de laatste tijd overkomen zijn. Daniel is an unlucky young man. Nothing turns out well for him. Finish these sentences with some of the things that have happened to him recently.

7. Onderstreep de juiste optie in elke zin. Underline the best option in each sentence.

8. Voltooi het onderstaande verhaal. Complete the following anecdote.

9. Zet de fragmenten van de tekst in de juiste volgorde. Put the parts of the story into the best order.

10. Gooi twee keer met een dobbelsteen of kies twee nummers tussen 1 en 6. Elk nummer hoort bij de titel van een bericht. Daarna schrijft je dit bericht op. Throw a die twice and choose two numbers from 1 to 6. Each number is part of a newspaper headline. Then write the news story.

11. Vul de tekst aan met werkwoorden in de pretérito indefinido of de pretérito imperfecto. Kijk daarna naar opgave 8 op bladzijde 124 om te controleren of je het goed hebt gedaan. Complete the texts with the verbs in the pretérito indefinido or the pretérito imperfecto. Then look at activity 8 on page 124 to check how well you've done it.

12. Zo begint een verhaal over angst. Schrijf op hoe het verder gaat. This is the start of a horror story. Continue it.

13. Je krijgt drie anekdotes te horen. Geef aan naar welk verhaal de zinnen verwijzen. You're going to listen to three anecdotes. Mark which one of them these sentences refer to.

14. Zoek informatie over een van deze legendes op internet en vul het formulier in. Search for information on the Internet on one of these legends, and compete the file card.

15. Luister en bepaal of de vormen van de infinitieven en van de pretérito indefinido hetzelfde worden uitgesproken. Listen. Are the forms of the infinitive and the pretérito indefinido pronounced the same?

16. Schrijf nu van elk infinitief de juiste vorm van de indefinido op. Let op lexicale veranderingen. Now write the indefinido forms of these infinitives. Remember to make the right orthographic changes.

17. Zet elk van deze uitdrukkingen op de beste plek in de tekst. Put these expressions in the best place.

18. Denk aan andere situaties die dezelfde emoties uitlokken en schrijf ze op. Think of things or situations that make you feel this way, and write them in the box.

19. Koppel de elementen uit de twee kolommen om zinnen te maken die in historische teksten kunnen voorkomen. Match the elements from the two columns to make expressions that could occur in history texts.

20. Lees deze zinnen en bekijk de vetgedrukte uitdrukking. Hoe zou je die naar jouw taal vertalen? Read these sentences and notice the expression in bold. How would you say it in your language?

21. Mijn woordenschat. Schrijf op welke woorden je uit dit hoofdstuk wilt onthouden. My vocabulary. Note down the words from this unit that you want to remember.

22. We zijn aan het einde van de cursus gekomen. Bekijk de laatste oefening van alle hoofdstukken van Más ejercicios en noteer hier de belangrijkste woorden of uitdrukkingen uit deze cursus die je geleerd hebt. We're reached the end of the course. Look at the final activity in all the units of Más ejercicios, and note down the most important words and expressions that you want to remember.

GLOSARIO
ALFABÉTICO A-Z

WOORDENLIJST BIJ

De methode *Aula Internacional* is ontwikkeld om Spaans te leren door de taal voortdurend te gebruiken. Een taal leer je immers het beste vanuit de taal zelf. Een aantal woorden ken je al, andere woorden zijn vergelijkbaar in het Nederlands. Nieuwe woorden in *Aula Internacional* bieden we aan naast een plaatje of in een context, daardoor heb je meestal ook bij onbekende woorden geen vertaling nodig.

Bij het leren van een nieuwe taal is het daarnaast belangrijk om creatief verbanden te leggen met woorden die je al geleerd hebt (uit **Alemania** leid je **alemán** af), of met Nederlandse synoniemen (**het gesprek = de conversatie = la conversación**) of woorden uit andere talen (**the flowers = las flores**, **l'église = la iglesia**).

Een woordenlijst is daarnaast nooit compleet: je zult veel praten over je eigen omgeving, bijvoorbeeld over waar en hoe je woont, over je familie en je vrienden, over je hobby's of je werk. Je ontwikkelt daardoor gaandeweg je eigen woordenschat.

¡Te deseamos mucho éxito!

A

a base de	op basis van	based on
a continuación	daarna	after
a la plancha	gegrild	grilled
a menudo	vaak	often
a partir de	vanaf	from
a peso	op gewicht	in weight
a veces	soms	sometimes
abarcar	omvatten	(to) cover
abarrotar	volproppen	(to) fill up
el abrazo	de omhelzing	hug
el abuelo	de grootvader	grandfather
la abundancia	de overvloed	abundance
aburrido	saai	boring
el aburrimiento	de verveling	boredom
acabar	afmaken	(to) finish
el acceso	de toegang	access
el aceite	de olie	oil
la aceituna	de olijf	olive
acercarse	benaderen	(to) approach
aclararse	ophelderen	(to) clear
acogedor	knus, gezellig	warm
la acogida	de ontvangst	reception
acompañar	begeleiden	(to) accompany
aconsejable	aan te raden	recommendable
el acontecimiento	de gebeurtenis	occurrence
acordarse	zich herinneren	(to) remember
acostarse	gaan slapen	(to) go to sleep

la actuación	het optreden	performance
la actualidad	het heden	present
actuar	acteren	(to) act
acuático	aquatisch	aquatic
adelgazar	afvallen	(to) lose weight
además	bovendien	in addition
el adjetivo	het bijvoeglijk naamwoord	adjective
afectar	beïnvloeden	(to) influence
afeitarse	zich scheren	(to) shave
afirmativo	bevestigend	affirmative
las afueras	de buitenwijken	suburbs
agacharse	bukken	(to) bend down
agarrar	grijpen	(to) grab
agitar	bewegen, beroeren	(to) move
agradecer	bedanken, waarderen	(to) thank, (to) appreciate
el aguacate	de avocado	avocado
ajá	aha	aha
el ajedrez	het schaken	chess
ajeno	andermans	someone else's
el ajo	de knoflook	garlic
ajustado	strak	tight
al final	uiteindelijk	finally
al granel	onverpakt	unpacked
al lado de	naast	next to
el ala	de vleugel	wing
la alcachofa	de artisjok	artichoke
alegrarse	blij zijn met, zich verheugen	(to) be happy

la alegría	de blijdschap	happiness
la alfombra	het kleed	rug
alguno	(een) enkele	some
aligerar	verlichten	(to) lighten
alimentar	voeden	(to) feed
alimentario	voedings-	food-
el alimento	het etenswaar	food
allá	daar	over there
allí	daar	over there
la almendra	de amandel	almond
el alpinismo	het bergbeklimmen	mountain climbing
alquilar	huren	(to) rent
alrededor de	rondom	around
el altiplano	de hoogvlakte	high plateau
la altitud	de hoogte	height
alzarse	opstijgen	(to) rise up
el ambiente	de sfeer	atmosphere
la amenaza	de bedreiging	threat
ampliar	uitbreiden	(to) increase
amplio	uitgebreid	broad
amueblar	meubileren, inrichten	(to) furnish
añadir	toevoegen	(to) add
andino	uit de Andes	from the Andes
la anemia	de bloedarmoede	anaemia
el anillo	de ring	ring
animadamente	geanimeerd	animatedly
el anís	de anijs	anise
anoche	gisteravond/nacht	last night
anochecer	schemeren, vallen van de avond	(to) get dark
anotar	noteren	(to) note
la ansiedad	de spanning	anxiety
ansioso	angstig, ongerust	anxious
anteayer	eergisteren	the day before yesterday
antes	voor	before
la Antigüedad	de Oudheid	antiquity
antiguo	oud	old
el anuncio	de advertentie	advertention
apagar	doven	(to) switch off
aparecer	tevoorschijn komen	(to) appear
aparecer	verschijnen	(to) appear
la aparición	de verschijning	appearance
aplastar	pletten, plat drukken	(to) squash
aportar	bijdragen	(to) contribute
apoyar	steunen	(to) support
aprender	leren	(to) learn
el aprendizaje	het leren	learning
apretar	knellen	(to) squeeze
aprobar	goedkeuren, toestemmen met	(to) approve
apropiado	passend	suitable
aprovechar	gebruik maken van	(to) take advantage of
apto	geschikt	apt, fit
apuntarse	zich opgeven	(to) sign up
el árbol	de boom	tree
el arbusto	de struik	bush
el arco iris	de regenboog	rainbow
el armario	de kledingkast	wardrobe
el aro	de hoepel	hoop
arriba	boven	above
el arroz	de rijst	rice
la artesanía	de ambacht, het ambachtswerk	craftwork
el artículo	het lidwoord	article
asar	braden	(to) roast
el ascensor	de lift	elevator
asesinar	vermoorden	(to) kill
así que	dus	so
el aspecto	het uiterlijk	appearance
asumir	aannemen	(to) assume
atacar	aanvallen	(to) attack
el atentado	de aanslag	attack
el ático	de zolder	attic
atrapar	vangen	(to) catch
atravesar	doorkruisen	(to) cross
aún	nog steeds	still
la ausencia	de afwezigheid	absence
autorizar	autoriseren	(to) authorise
avanzado	gevorderd	advanced
avanzado	geavanceerd	advanced
avanzar	vooruitgaan	(to) progress

el ave	de vogel	bird
la avellana	de hazelnoot	hazelnut
averiguar	verifiëren	(to) verify
el avión	het vliegtuig	airplane
ayer	gisteren	yesterday
la ayuda	de hulp	help
ayudar	helpen	(to) help
el ayuntamiento	de gemeente	council
el azúcar	de suiker	sugar

B

la bahía	de baai	bay
bajar	uitstappen	(to) get off
la ballena	de walvis	whale
el balneario	het kuuroord	spa
el baloncesto	het basketbal	basketball
el balsero	de vluchteling op vlotten	boat person
el bañador	de zwembroek, het zwempak	swimsuit
bañarse	gaan zwemmen	(to) bath
el baño	de badkamer	bathroom
barato	goedkoop	cheap
el barco	de boot	boat
el barrio	de wijk	neighbourhood
bastante	redelijk	quite
la batalla	de slag, strijd	battle
la batería	het drumstel	drum kit
batir	mixen, klutsen	(to) whisk
la beca	de beurs	la beca
beis	beige	beige
bello	mooi	beautiful
el beneficio	het voordeel	profit
el berberecho	de kokkel	cockle
el beso	de kus	kiss
el besote	de dikke kus	kiss
el bisabuelo	de overgrootvader	great-grandfather
el bizcocho	de biscuit	biscuit
blandito	zacht	soft
el bloqueo	de blokkade	(to) block
boca abajo	voorover, hier: op de buik	face down

la boda	het huwelijk	marriage
el bolsillo	de (broek)zak	pocket
el bombero	de brandweerman	fireman
bordear	omranden	(to) border
el bote	de doos, pot	jar
la botella	de fles	bottle
el brazo	de arm	arm
breve	kort	short
brusco	kortaf, nors	abrupt
burlarse de	bespotten	(to) make fun of
buscar	zoeken	(to) look for

C

el cabello	het haar	hair
cabelludo	behaard	hairy
la cabeza	het hoofd	head
la cadena	de keten	chain
caer bien/mal	het goed/slecht met iemand kunnen vinden	(to) be (dis)liked
caerse bien	goed kunnen opschieten met iemand	(to) get along with someone
la caída	de uitval	drop
la caja	de doos, kist	box
la calefacción	de verwarming	heating
calentar	verwarmen	(to) heat up
la calidad	de kwaliteit	quality
caliente	warm	warm
callejero	straat-	from the street
el calzado	het schoeisel	footwear
la cama	het bed	bed
cambiarse de ropa	zich omkleden	(to) change clothes
el cambio	de verandering	change
el cambio vocálico	de klinkerwisseling	vowel change
caminar	lopen, wandelen	(to) walk
el camino	de weg	road
el campo	het veld	field
la caña	het tapbiertje	small draft beer
la canción	het lied	song
el/la cantante	de zanger(es)	singer
el canto	de zang	singing

la capa	de laag	layer
la capilla	de kapel	chapel
la cápsula	de capsule, pil	capsule
la cara	het gezicht	face
la característica	het kenmerk, de eigenschap	feature
el cargo	de functie	function
el cariño	de genegenheid	affection
caro	duur	expensive
la carrera a pie	het hardlopen	running
el carrito	het wagentje, karretje	trolley
el cartón	de doos	box
la casa adosada	het rijtjeshuis	terraced house
casado	getrouwd	married
casarse	trouwen	(to) marry
casero	huisgemaakt	home-made
la caseta	het huisje	hut
casi	bijna	almost
la casilla	het hokje	square
la caspa	de roos	dandruff
la causa	de oorzaak	cause
causar	veroorzaken	(to) cause
cazar	jagen	(to) hunt
la cebolla	de ui	onion
la cena	de avondmaaltijd	dinner
cenar	avondeten, dineren	(to) have dinner
el centavo	de cent	cent
la cerámica	de keramiek	ceramic
cerca	dichtbij	close to
el cereal	het graan(product)	cereal, grain
la cerilla	de lucifer	match
charlar	kletsen	(to) chat
el chile	de Spaanse peper	chilli
el chófer	de chauffeur	driver
el ciclismo	de wielersport	cycling
el cielo	de hemel	heaven
las ciencias naturales	de natuurwetenschappen	natural sciences
cierto	zeker	true
cinestético	kinesthetisch	kinesthetic
el circo	het circus	circus

la circulación	de (bloeds)omloop	circulation
la circunstancia	de omstandigheid	circumstance
clavar	vastzetten	(to) nail
clave	sleutel	key
el clima	het klimaat	climate
cobrar	uitbetaald krijgen	(to) be paid
cocer	koken	(to) cook
la cocina americana	open keuken	open plan kitchen
el cocinero	de kok	cook
codificado	hier: waarin vaste etiquetteregels bestaan	here: where certain manners apply
la coincidencia	de overeenkomst	coincidence
coincidir	overeenkomen	(to) coincide
el cojín	het kussen	cushion
la cola	de staart	tail
la colaboración	de samenwerking	collaboration
colocar	plaatsen	(to) put
la colonia	de kolonie	colony
combatir	bestrijden	(to) fight
cometer	begaan	(to) commit
la comida	de middagmaaltijd	lunch
como	aangezien	like
cómodo	comfortabel	comfortable
el comparativo	het vergelijkwoord	comparative
compartir	delen	(to) share
el compositor	de componist	composer
la comunidad	de gemeenschap	community
conceder	(op)geven	(to) give (up)
concurrir	meedoen, meedraaien	(to) participate
el concurso	de wedstrijd	competition
el condicional	de voorwaardelijke wijs (conditionalis)	conditional tense
el condimento	de smaakmaker	condiment
conducir	rijden	(to) drive
el conector	het voegwoord	conjunction
confundir	verwarren	(to) confuse
congelar	invriezen, bevriezen	(to) freeze
la conjugación	de vervoeging	conjugation
conjugar	vervoegen	(to) conjugate
conocer	kennen	(to) know

el conocimiento	de kennis	knowledge
conseguir	bereiken, behalen	(to) obtain, (to) achieve
el consejo	de raad	counsel
la conservación	de bewaring	preservation
conservar	bewaren	(to) preserve
considerar	beschouwen	(to) consider
la Constitución	de grondwet	constitution
la consulta	de praktijk	office
la consumición	de consumptie	consumption
contar	vertellen	(to) tell
contemporáneo	hedendaags, modern	contemporary
contraponer	tegenspreken	(to) go against
la convención	de conventie, het congres	convention
convertirse en	veranderen in	(to) become
la convivencia	het samenleven	coexistence
la copa	het glas	glass
el corazón	het hart	heart
el cordero	het lam(svlees)	lamb
corporal	lichaams-	corporal
la corrección	de correctheid	la corrección
corregir	corrigeren	(to) correct
el cortado	de koffie met een beetje melk	coffee with a little milk
cortar	snijden	(to) cut
el corte	het hof, de hofhouding	court
el corte	hier: geknipt	cut
la cortesía	de beleefdheid	politeness
costar	moeilijk vinden	(to) find hard
la costumbre	het gebruik, de gewoonte	habit
cotidiano	dagelijks	daily
el Creador	de Schepper	Creator
creer	geloven	(to) believe
la cremallera	de ritssluiting	zip
criar	fokken	(to) breed
el cristal	het glas	glass
crujiente	knapperig	crunchy
el cuadro	het schilderij	painting
el cuarto	de kamer	room

la cucharada	de eetlepel	tablespoon
la cucharadita	de theelepel	teaspoon
el cuello	de nek	neck
el cuero	de huid	skin
el cuerpo	het lichaam	body
el cuestionario	de enquête	survey, questionnaire
la cueva	de grot	cave
cuidar	zorgen voor	(to) look after
cuidarse	voor zichzelf zorgen	(to) look after oneself
cultivar	kweken	(to) grow
el cumpleaños	de verjaardag	birthday
curar	genezen	(to) cure
curioso	eigenaardig	curious
el currículum	het curriculum vitae, CV	curriculum vitae

D

el daño	de schade	damage
dar	geven	(to) give
dar importancia a	belang hechten aan	attach importance to
el dato	het gegeven	information
de hecho	in feite	in fact
de lado	op de zij	sideways
de momento	op het moment	for the moment
de pie	te voet, stand	standing
de pronto	ineens	suddenly
de repente	ineens	suddenly
de vez en cuando	af en toe	once in a while
debajo	onder	under
deber	moeten	(to) must
los deberes	het huiswerk	homework
la década	het decennium	decade
la decadencia	de decadentie	decadence
dejar	achterlaten	(to) leave
delante (de)	voor	in front of
demasiado	te (veel)	too (much)
el/la dentista	de tandarts	dentist
depender	afhangen	(to) depend
el deporte de aventura	de extreme sport	extreme sport
el depósito	het reservoir	deposit
derecha	rechts	right

derrotar	verslaan, overwinnen	(to) defeat
desaparecer	verdwijnen	(to) disappear
desarrollarse	zich ontwikkelen, zich afspelen	(to) develop
desayunar	ontbijten	(to) have breakfast
el desayuno	het ontbijt	breakfast
descansado	ontspannen, uitgerust	rested
desconocido	onbekend	unknown
desde	vanaf, sinds	from, since
desear	wensen	(to) wish
desenvolverse	een gesprek voeren	(to) get on
el deseo	de wens	wish
desgraciado	erbarmelijk, schamel	miserable
el desierto	de woestijn	desert
desmaquillarse	make-up vermijderen	(to) remove one's makeup
desnudo	naakt	naked
desordenado	ongeordend, in de war	disorganised
el despacho	de werkkamer	office
despacio	langzaam	slowly
la despedida	het afscheid	good-bye
despedirse	afscheid nemen	(to) say goodbye
despertarse	ontwaken	(to) wake up
después	daarna, later	after
destacar	opvallen	(to) stand out
detenerse	stoppen	(to) stop
el detergente	het wasmiddel	detergent
el determinante	de determinator	determiner
determinante	bepalend	decisive
determinar	vaststellen,	(to) determine
detrás	achter	behind
devolver	teruggeven	(to) give back
el diario	het dagboek	diary
el/la dibujante	de tekenaar(ster)	draughtsman, draughtswoman
el dibujo	de tekening	drawing
el diente de ajo	de teen knoflook	clove of garlic
la digestión	de spijsvertering	digestion
digno	waardig	worthly
el dios	de god	god
el directivo	de leidinggevende	executive

dirigir	richten	(to) direct
dirigirse	zich begeven	(to) head for
disculpe	pardon, excuseer	excuse me
diseñar	ontwerpen	(to) design
disfrutar	genieten	(to) enjoy
disponible	beschikbaar	available
dispuesto	bereid	prepared
la distancia	de afstand	distance
distinto	verschillend	different
la diversión	het vermaak	entertainment
divertido	leuk, vermakelijk	amusing
divertirse	zich vermaken	(to) enjoy oneself
doblar	buigen	(to) bow
doler	pijn doen	(to) hurt
el dolor	de pijn	pain
el domicilio	het woonhuis	residence
dominar	beheersen	(to) master
la droguería	de drogist	chemist
la duda	de twijfel	doubt
el dueño	de eigenaar	owner
dulce	zoet	sweet
durante	gedurende	during

E

echar	gooien, schenken	(to) pour
echar la siesta	siësta houden	(to) have a nap
el edificio	het gebouw	building
la educación	de opvoeding	education
eficaz	efficiënt	efficient
ejecutar	executeren	(to) execute
el ejemplo	het voorbeeld	example
el ejército	het leger	army
el nivel adquisitivo	de koopkracht	purchasing power
el electrodoméstico	het huishoudelijk apparaat	electrical appliance
la embarcación	de boot	boat
emitir	uitzenden	(to) send out, (to) emit
emocionante	emotioneel	emotional
emocionarse	geëmotioneerd raken	(to) be moved
empezar	beginnen	(to) begin
en cambio	daarentegen	whereas

en directo	live	live
en mitad de	halverwege	half way
en voz alto	hardop	aloud
enamorarse	verliefd worden	(to) fall in love
encantar	heel leuk vinden	(to) love
el encanto	de charme	charm
encender	aanzetten	(to) turn on
encima	op, boven	on, on top of
encontrar	vinden	(to) find
encontrarse	zich bevinden	(to) find yourself
el encuentro	de ontmoeting	meeting
la encuesta	de enquête	survey
enfadado	kwaad	angry
la enfermedad	de ziekte	illness
enfermo	ziek	sick
el enfrentamiento	de confrontatie	confrontation
enlazar	linken, verbinden	(to) connect
enriquecedor	verrijkend	enriching
ensayar	repeteren	(to) rehearse
enseñar	lesgeven	(to) teach
enseñar	laten zien	(to) show
el ensueño	de fantasie	fantasy
entender	begrijpen	(to) understand
enterrar	begraven	(to) bury
la entonación	de intonatie	la entonación
entre	tussen	between
entregar	hier: aangeven	(to) hand over
el entretenimiento	het vermaak	entertainment
la entrevista	het interview	interview
envasado	verpakt	packed
el envase	de verpakking	container
envejecer	verouderen	(to) age
enviar	sturen	(to) send
la envidia	de afgunst	envy
la época	de periode, het tijdperk	period
equipado	voorzien van	equipped
el equipo	het team	team
equivocarse	zich vergissen	(to) be wrong about something
escalar	(be)klimmen	(to) climb
la escalera	de trap	stairs
escapar	ontsnappen	(to) escape
el escenario	het toneel	stage
escoger	(uit)kiezen	(to) choose
el escultor	de beeldenaar	sculptor
la espalda	de rug	back
el espárrago	de asperge	asparagus
la especia	de specerij	spice
el especie	de soort	species
el espectador	de kijker, bezoeker	spectator
el espejo	de spiegel	mirror
la esperanza de vida	de levensverwachting	life expectancy
esperar	wachten	(to) wait
el esquema	het schema	diagram
el estado de ánimo	de gemoedsrust	mood
la estantería	de boekenkast	bookshelves
estar de acuerdo con	het eens zijn met	(to) agree with
estar sentado	zitten	(to) sit
el estilo de vida	de levensstijl, levenswijze	lifestyle
el estómago	de maag	stomach
la estrella	de ster	star
estrellar	breken, verbrijzelen	(to) break
estrenar	in première gaan	(to) premiere
el estrés	de stress	stress
estresado	gestrest	stressed
estricto	strikt	strict
estupendo	uitstekend	wonderful
evidente	duidelijk, vanzelfsprekend	obvious
evidentemente	duidelijk	obviously
evitar	vermijden	(to) avoid
exagerar	overdrijven	(to) exaggerate
el exiliado	de banneling	exiled
exiliarse	emigreren	(to) take up exile
el exilio	het ballingschap	exile
el éxito	het succes	success
la experiencia	de ervaring	experience
la exposición	de expositie	exhibition
la extinción	het uitsterven	extinction
extranjero	buitenlands	foreign

el extranjero	het buitenland	foreign
extraño	vreemd	strange
extremeño	uit Extremadura	from Extremadura

F

fácil	makkelijk	easy
la falta	het gebrek	shortage
faltar	missen	(to) miss
fatal	beroerd	terrible
la fatiga	de vermoeidheid	fatigue
feliz	gelukkig	happy
femenino	vrouwelijk	feminine
la feria	de beurs	het fair
festivo	feest-	festive
la fibra vegetal	de plantaardige vezel	vegetable fibre
la fiebre	de koorts	fever
firmar	ondertekenen	(to) sign
flamenco	Vlaams	Flemish
la flecha	de pijl	arrow
la flexión	het buigen, strekken	flexing exercise
la fluidez	de vloeiendheid	fluency
la forma verbal	de werkwoordsvorm	verbal form
fortalecer	versterken	(to) strengthen
freír	bakken	(to) fry
el frigorífico (frigo)	de koelkast	refrigerator
la frontera	de grens	border
frotar	wrijven	(to) rub
el fruto seco	de gedroogde vrucht (incl. noten)	dried fruit
fuera (de)	buiten	outside
la fuerza	de kracht	power
fumar	roken	(to) smoke
el fundador	de oprichter	founder
fundar	oprichten	(to) found

G

las gafas	de bril	glasses
la galleta	het koekje	biscuit
ganar	winnen	(to) win
la garganta	de keel	throat

gastar	(geld) uitgeven, besteden	(to) spend
genial	fantastisch	brilliant
el gerundio	het verbaal substantief (gerundium)	gerund
el gesto	het gebaar	gesture
la gira	de tour, ronde	tour
el gobierno	de regering	government
el golpe de Estado	de staatsgreep	coup d'etat
el gorro	het hoofddeksel	hat
grabar	opnemen	(to) record
la gracia	de aardigheid	grace
el guante	de handschoen	glove
guardar	bewaren	(to) keep
el/la guardia	de politieagent(e)	police officer
la guía	de gids (boek)	guide book
el gusto	de smaak	taste

H

habitual	gebruikelijk	usual
hace (+indicación temporal)	tijdsaanduiding + geleden	time frame + ago
hacer	doen, maken	(to) do, (to) make
hacer submarinismo	duiken	(to) dive
hacia	richting	towards
el hambre	de honger	hunger
la harina	de bloem	flour
hasta	tot	until
hasta que	totdat	until
el hecho	het feit	fact
la herida	de wond	wound
hermoso	mooi	beautiful
hervir	koken (water)	(to) boil
el hidrato de carbono	de koolhydraat	carbohydrate
el hidroavión	het water-/ blusvliegtuig	seaplane
la hierba	het kruid	herb
el hierro	het ijzer	iron
el hito	de mijlpaal	milestone
el hogar	de haard	fireplace
la hoja	het blaadje (papier)	sheet of paper

el hombro	de schouder	shoulder
el horario	de openingstijden	opening hours
el horno	de oven	oven
hoy en día	vandaag de dag	today, nowadays
el huevo	het ei	egg
huir	vluchten	(to) flee

I

igual	hetzelfde	same
la ilusión	het enthousiasme	enthusiasm
imaginario	imaginair, denkbeeldig	imaginary
la impaciencia	het ongeduld	impatience
impactante	indrukwekkend	impressive
el imperativo	de gebiedende wijs	imperative
el imperio	het rijk	empire
implicar	impliceren, met zich meebrengen	(to) implicate
importar	van belang zijn	(to) matter
la imprenta	de boekdrukkunst	art of
imprescindible	onmisbaar	indispensable
impresionar	indruk maken, imponeren	(to) impress
la inauguración	de initiatie, inzegening	inauguration
el incendio forestal	de bosbrand	forest fire
incluso	zelfs	even
incómodo	ongemakkelijk	uncomfortable
increíble	ongelooflijk	incredible
(in)dependiente	(on)afhankelijk	(in)dependent
independizarse	letterlijk: onafhankelijk worden, figuurlijk: op zichzelf gaan wonen	(to) become independent
indígena	inheems	indigenous
la infancia	de kindertijd	childhood
el infinitivo	het hele werkwoord	infinitive
la infusión	de kruidenthee	infusion
la iniciativa	het initiatief	initiative
el inicio	het begin	beginning
inmediatamente	meteen	immediately
inmobiliario	onroerend goed-	real-estate
inolvidable	onvergetelijk	unforgettable

la inscripción	de inschrijving	application
(in)seguro	(on)zeker	(in)secure
insoportable	ondraaglijk	unbearable
instantáneamente	meteen, direct	directly
integral	volkoren	wholegrain
intentar	proberen	(to) try
el intercambio	de uitwisseling	exchange
el interiorismo	het interieur design	interior design
el interlocutor	de gesprekspartner	interlocutor
internarse	binnendringen	(to) penetrate
la interrupción	de onderbreking	interruption
inundar	overstromen	(to) flood
invadir	binnendringen	(to) invade
el invento	de uitvinding	invention
ir	gaan	(to) go
(ir)regular	(on)regelmatig	(ir)regular
izquierda	links	left

J

el jabón	de zeep	soap
el jamón	de ham	ham
el jarrón	de vaas	vase
la jirafa	de giraffe	giraffe
joven	jong	young
el jubilado	de gepensioneerde	pensioner
jubilarse	met pensioen gaan	(to) retire
el júbilo	de vreugde	jubilation
el juego	het spel	game
jurar	zweren	(to) swear
la justicia	de gerechtigheid	justice
justificar	verantwoorden	(to) justify
la juventud	de jeugd	youth

L

el labio	de lip	lip
el lácteo	het zuivelproduct	dairy
el ladrillo	de baksteen	brick
la lámpara de pie	de staande	floor lamp
la lana	de wol	wool
el lápiz	het potlood	pencil
el largometraje	de langspeelfilm	full-length film
la lata	het blik	tin

el lavadero	de wasruimte (ruimte voor wasmachine en droger)	washing place
la lavadora	de wasmachine	washing
lavar	wassen	(to) wash
el lavavajillas	de vaatwasser	dishwasher
la leche	de melk	milk
la lechuga	de (krop)sla	lettuce
el legumbre	de peulvrucht	legume
la lejía	het bleek	bleach
lejos de	ver van	far from
la lengua materna	de moedertaal	mother tongue
el lenguaje	de taal	language
lento	langzaam	slow
levantarse	opstaan	(to) get up
la ley	de wet	law
la leyenda	de legende	legend
la libertad	de vrijheid	freedom
liderado	geleid	controlled
ligero	licht	light
el limón	de citroen	lemon
limpio	schoon	clean
lingüístico	taalkundig	linguistic
listo	klaar	ready
la llamada	het telefoontje	phone call
llamar	bellen	(to) call
la llegada	de aankomst	arrival
llegar	aankomen	(to) arrive
llenar	vullen	(to) fill
llevar	meebrengen	(to) bring
llevarse de	meenemen uit	(to) take from
llover	regenen	(to) rain
la lluvia	de regen	rain
el local	de kroeg	pub
la loncha	de plak	slice
los demás	de rest, anderen	rest
la lucha	de strijd	battle
luchar	strijden	(to) fight
luego	daarna	afterwards, later
el lugar	de plek	place
el lujo	de luxe	luxury

luminoso	licht	light
la luna	de maan	moon
la luna de miel	de huwelijksreis, wittebroodsweken	honeymoon
la luz	het licht	light
M		
machacar	fijnstampen	(to) crush
la madera	het hout	wood
la madrugada	de vroege ochtend, dageraad	early morning, dawn
la madurez	de volwassenheid	maturity
maduro	rijp	ripe
la magdalena	het cakeje	cake
maltratar	mishandelen	(to) mistreat
mandar	sturen	(to) send
la mano	de hand	hand
mantener	onderhouden	(to) maintain
el mantenimiento	het onderhouden	maintenance
la mantequilla	de boter	butter
la manzana	de appel	apple
la manzanilla	de kamille(thee)	camomile
maquillarse	zich opmaken	(to) put on makeup
la maravilla	het wonder	miracle
el marcador temporal	de tijdsaanduiding, signaalwoorden van tijd	tense
marcharse	vertrekken	(to) leave
mareado	misselijk	nauseous
la mariposa	de vlinder	butterfly
el marisco	de zeevrucht	shellfish
el mármol	het marmer	marble
la mascarilla	het masker	face mask
masculino	mannelijk	masculine
matar	doden	(to) kill
la mate	Zuid-Amerikaanse thee	South American tea
materno	van moeders kant	maternal
matinal	ochtend-	morning
el matiz	de nuance	nuance
matizar	nuanceren	(to) nuance
la mayoría	de meerderheid	majority

mediano	gemiddelde	medium-sized
la medida	de maat, de afmeting	measurement
medio	gemiddeld	average
el medio ambiente	het milieu	environment
el mejillón	de mossel	mussel
mejorar	verbeteren	(to) improve
el melocotón	de perzik	peach
el/la menor	de minderjarige	someone under age
el mensaje	de boodschap	message
la merienda	het vieruurtje	afternoon snack
la mesa de centro	de salontafel	coffee table
meter	zetten	(to) put
el metro cuadrado	de vierkante meter	square metre
mezclar	mengen	(to) mix
el miedo	de angst	fear
la miel	de honing	honey
mientras	terwijl	while
milenario	eeuwenoud	millenary
el mimbre	het rotan	wicker
minoritario	minderheids-	minority
la mirada	de blik	look
mirar	kijken	(to) look at
mismo	hetzelfde	same
mítico	mythisch	mythical
la mochila	de rugzak	backpack
el modo	de manier	manner
la molestia	de overlast	annoyance
el mono	de aap	monkey
montar	opzetten	(to) assemble
morder	bijten	(to) bite
moreno	donker, bruin (van de zon)	dark, bronzed
morir	dood gaan	(to) die
mostrar	laten zien	(to) show
moverse	zich bewegen	(to) move oneself
movilizar	mobiliseren	(to) mobilise
el movimiento	de beweging	movement
muchas veces	vaak	often
la muela	de kies	molar
el mundial	de wereldkampioenschappen	world championship
el mural	de muurschildering	mural
el murciélago	de vleermuis	bat
el musulmán	de moslim	Muslim

N

nacer	geboren worden	(to) be born
nadar	zwemmen	(to) swim
nadie	niemand	nobody
la nariz	de neus	nose
narrar	vertellen	(to) tell
la natación	de zwemsport	swimming
el nativo	de moedertaalspreker	native
la náusea	de misselijkheid	nausea
necesitar	nodig hebben	(to) need
negar	ontkennen	(to) deny
negarse	weigeren	(to) refuse
el negocio	het bedrijf	business
nervioso	nerveus	nervous
neutro	neutraal	neutral
ningún	geen enkele	not a single
el níspero	de mispel	loquat
el nivel	het niveau	level
nocturno	nachtelijk	night, nocturnal
el nombre	het zelfstandig naamwoord	noun
la novedad	de nieuwigheid, het nieuwtje	novelty
la novela	de roman	novel
la nube	de wolk	cloud
el núcleo	de kern	nucleus
el nuez	de (wal)noot	nut
numeroso	talrijk	numerous
nunca	nooit	never

O

o sea	met andere woorden, oftewel	in other words
obeso	zwaarlijvig, met overgewicht	obese
el objeto directo (OD)	het lijdend voorwerp	direct object
obligar	verplicht stellen	(to) oblige
la obra	het oeuvre	work

obtener	behalen	(to) obtain
obtener	verkrijgen	(to) obtain
occidental	westelijk	western, occidental
el ocio	de vrije tijd	free time
oculto	verborgen	hidden
ocupar	bewonen	(to) take up
ocupar	bezetten	(to) occupy
ocurrir	gebeuren, plaatsvinden	(to) happen
odiar	haten	(to) hate
ofender	beledigen	(to) insult
la oferta	de aanbieding	offer
ofrecer	aanbieden	(to) offer
el oído	het gehoor, oor	hearing
el ojo	het oog	eye
la olla	de kookpot, grote pan	pot
olvidar	vergeten	(to) forget
opinar	van mening zijn	(to) believe
oral	mondeling	oral
oralmente	mondeling	orally
ordenar	bevelen	(to) order
originario de	afkomstig uit	native to
la ortiga	de brandnetel	nettle
oscuro	donker	dark
el oso pardo	de bruine beer	brown bear
otra vez	alweer, nog een keer	again
P		
el pádel	het padel (sport tussen tennis en squash)	paddle tennis
el paisaje	het landschap	landscape
el pájaro	de vogel	bird
pálido	bleek	pale
el palillo	het stokje	stick
el pan	het brood	bread
el papel	de rol	role
el paquete	het pak	package
para	voor, om, te	to
la parada	de halte	stop
parar	stoppen	(to) stop
parcial	gedeeltelijk	partial

parecerse a	lijken op	(to) look like
parecido	gelijksoortig	similar
la pared	de muur	la pared
el participio	het voltooid deelwoord	past participle
el pasado (de indicativo)	de verleden tijd	past tense
pasado mañana	overmorgen	the day after tomorrow
pasar	doorbrengen	(to) pass
pasar	gebeuren	(to) happen
pasárselo (+adjetivo)	het + bijv. nw + hebben	(to) have a (+adjective) time
pasear	wandelen	(to) walk
el paseo	de boulevard	boulevard
el paso	de stap	step
la patata	de aardappel	potato
paterno	van vaders kant	paternal
la patrulla	de patrouille	patrol
peatonal	voetgangers-	pedestrian
pedir	vragen, verzoeken	(to) request
pedir	bestellen	(to) order
pegar	plakken	(to) stick
peinar	kammen	(to) brush
pelar	pellen, schillen	(to) peel
la película	de film	la película
el peligro	het gevaar	danger
el pelo	het haar	hair
la pena	de moeite	effort
la pena de muerte	de doodstraf	death penalty
la península ibérica	het Iberisch schiereiland	Iberian Peninsula
pensar	denken	(to) think
peor	slechter	worse
perder	verliezen	(to) lose
el periódico	de krant	el periódico
la perla	de parel	pearl
el permiso	de toestemming	permission
pero	maar	but
el perro	de hond	dog
la persiana	het rolluik, het rolgordijn	blinds
pertenecer	behoren	(to) belong to

pesado	zwaar	heavy
la pesca	de visserij	fishing
el pescado	de vis	fish
pescar	vissen	(to) fish
el peso	het gewicht	weight
pesquero	vis-	fishing
la petición	de vraag, verzoek	request
picado	gehakt	chopped
el pie	de voet	foot
la piedra	de steen	stone
la piel	het leer, de huid	leather, skin
la pierna	het been	leg
la pieza	het stuk, gedeelte	part
la píldora	de pil	pill
la piña	de ananas	pineapple
pintar	schilderen, verven	(to) paint
el pintor	de schilder	painter
pisar	betreden	(to) step on
la piscina	het zwembad	swimming
la pizarra	het schoolbord	blackboard
planificar	plannen	(to) plan
el plano	de plattegrond	plan
la planta	de verdieping	floor
el plátano	de banaan	banana
el plato	het gerecht	dish
pleno	vol, volledig	full
la pluma	de veer	feather
plural	meervoud	plural
el poblado	de nederzetting	town
pobre	arm	poor
poder	kunnen, mogen	(to) be able to, (to) can
poderoso	machtig	powerful
el poema	het gedicht	poem
el polaco	het Pools	Polish
poner	leggen	(to) put
por eso	daarom	that's why
por lo menos	minstens	at least
por supuesto	natuurlijk	of course
por unidad	per stuk	per unit
porque	omdat	because

el portal	de startpagina	portal
el postre	het toetje	dessert
preguntar	vragen	(to) ask
la prensa	de pers	press
preocuparse	zich zorgen maken	(to) worry about
la preposición	het voorzetsel	preposition
el presente (de indicativo)	de tegenwoordige tijd	present simple
el preservativo	het condoom	condom
el preso	de gevangene	prisoner
prestar	(uit)lenen	(to) lend
presumir	opscheppen	(to) brag
el presupuesto	het budget	budget
el pretérito imperfecto	de onvoltooid verleden tijd	imperfect tense
el pretérito indefinido	de onbepaald verleden tijd	past simple tense
el pretérito perfecto	de voltooid tegenwoordige tijd	past perfect
prevenir	voorkomen	(to) prevent
probar	proeven, uitproberen	(to) taste
la procesión	de optocht, processie	procession
la profesión	het beroep	profession
prometedor	veelbelovend	promising
la promoción	de aanbieding	promotion
el (pronombre) demostrativo	het aanwijzend voornaamwoord	demonstrative pronoun
el pronombre personal	het persoonlijk voornaamwoord	personal pronoun
el (pronombre) posesivo	het bezittelijk voornaamwoord	possessive pronoun
pronominal	wederkerend	pronominal
pronto	snel	fast
pronunciar	uitspreken	(to) pronounce
el propietario	de eigenaar	owner
propio	eigen	your own
proponer	voorstellen	(to) suggest
la proposición	het voorstel	proposal
la propuesta	het voorstel	offer
el/la protagonista	de hoofdpersoon	leading
el protector solar	de zonnebrandcrème	sun cream
proteger	beschermen	(to) protect

la proteína	het eiwit	protein
próximo	volgende	next
el puerto	de haven	port
pues	nou	well

Q

¡Qué dices!	Wat maak je me nou!	What are you saying!
quedar	afspreken	(to) arrange to meet
quedarse	blijven	(to) stay
quejarse	klagen	(to) complain
quemarse	verbanden	(to) burn
querer	willen	(to) want
quitar	verwijderen	(to) remove

R

el rabo	de staart	tail
la raíz	de stam	root
rápido	snel	fast
la raqueta	het racket	racquet
el rato	het poosje	a little while
rayar	stralen	(to) light up
el rebelde	de rebel	rebel
la receta	het recept	recipe
rechazar	afwijzen	(to) reject
el recibidor	de hal	entrance
recibir	ontvangen	(to) receive
recientemente	recentelijk	recently
el recipiente	de kom	bowl
recoger	meenemen	(to) pick up
recomendar	aanraden	(to) recommend
recompensar	compenseren	(to) reward
reconocer	erkennen	(to) acknowledge
recto	recht	straight
el recuerdo	de herinnering	memory
el recuerdo	de groet	greeting
el recurso	het hulpmiddel	resource
reflexivo	wederkerend	reflexive
reforzar	versterken	(to) reinforce
el refresco	de frisdrank	soft-drink
el refugio	het onderdak	shelter
regresar	terugkeren	(to) return
regularmente	regelmatig	consistently

rehabilitar	opknappen	(to) renovate
reinterpretar	herinterpreteren	(to) reinterpret
reírse	lachen	(to) laugh
relajarse	zich ontspannen	(to) relax
relatar	vertellen, rapporteren	(to) tell
el reloj	het horloge	watch
el remedio	het geneesmiddel	remedy
el remo	de roeisport	rowing
el Renacimiento	de Renaissance	Renaissance
renovar	vernieuwen	(to) renovate
renunciar	afstand doen van	(to) renounce
el repartidor	de bezorger	deliveryman
repartir	opnieuw	uitdelen
reposar	rusten	(to) rest
resaltar	opvallen	(to) stand out
resecar	droog maken	(to) dry up
la reserva	het reservaat	reserve
el resfriado	de verkoudheid	cold
respirar	ademhalen	(to) breathe
resultar	blijken	(to) turn out to be
retener	onthouden, vasthouden	(to) retain
reunirse	samenkomen	(to) meet
la revelación	de onthulling	revelation
revolver	omroeren, omkeren	(to) stir, (to) toss
el rincón	het hoekje	corner
el roble	de eik	oak
la roca	de rots	rock
rodar	opnemen (van film)	(to) roll (film)
rodear	omringen	(to) surround
la rodilla	de knie	knee
el rollo	de puinhoop, de ellende	mess
romper	breken	(to) break
rosado	roze	pink
rubio	blond	blonde
la rueda	het wiel	wheel
el ruido	het geluid	noise
ruidoso	rumoerig	noisy

S

| saber | weten, kennen | (to) know |

el sabor	de smaak	flavour
sacar	weghalen, uit halen	(to) remove
sacar	tevoorschijn halen	(to) get
el salar	de zoutvlakte	salt flat
la salida	de uitgang	exit
salir	uitgaan	(to) go out
el salón-comedor	de woon-en eetkamer	living-dining room
la salud	de gezondheid	health
el saludo	de groet	greeting
salvaje	wild	wild
sano	gezond	healthy
la sartén	de koekenpan	frying pan
secar	drogen	(to) dry
secuenciar	in volgorde plaatsen	(to) arrange in sequence
la sede	het hoofdkwartier	headquarters
seguir	volgen, doorgaan	(to) follow, (to) continue
según	volgens	according to
seguramente	zeker	surely
la selva	het woud	jungle
la semilla	het zaadje	seed
el senado	de senaat	senate
sencillamente	simpelweg	simply
sencillo	simpel, eenvoudig	simple
el senderismo	de wandelsport	hiking
sentirse	zich voelen	(to) feel
la sierra	de berg(keten)	mountain
el siglo	de eeuw	century
el signo	het teken	sign
siguiente	volgende	following
la sílaba	de lettergreep	syllable
la silla	de stoel	chair
el sillón	de fauteuil	armchair
sin	zonder	without
sin embargo	echter	however
sincero	eerlijk	sincere
singular	enkelvoud	singular
sino	maar	but
la soda	het koffiehuis, de cafetaria	cafe

el sofá	de bank	couch
soleado	zonnig	sunny
soler (+infinitivo)	meestal, normaal gesproken	usually
sonreír	glimlachen	(to) smile
sorprender	verrassen	(to) surprise
la sorpresa	de verrassing	surprise
sostenible	duurzaam	sustainable
suave	zacht	soft
subir	instappen	(to) get on
el/la submarinista	de diepzeeduik(st)er	scuba diver
subrayar	onderstrepen	(to) underline
el subtítulo	de ondertiteling	subtitles
sueco	Zweeds	swedish
el sueldo	het loon	salary
el suelo	de vloer	floor
el sueño	de slaap, droom	dream
superar	overtreffen, hier: verbreken	(to) surpass
la superficie lunar	het maanoppervlak	surface of the moon
supuestamente	zogenaamd	supposedly
el sustantivo	het zelfstandig naamwoord	noun, substantive
sustituir	vervangen	(to) substitute

T

tal vez	misschien	maybe
el taller	de workshop	workshop
tampoco	ook niet	neither
tapar	bedekken	(to) cover
taquillero	succesvol, een kassucces	successful
tardar	duren	(to) take time
la tarjeta	de kaart	card
la taza	het kopje	cup
el techo	het dak	roof
la tela	de stof	fabric
temporal	tijdelijk	temporary
el tenedor	de vork	fork
tener	que moeten	(to) have to
tener en cuenta	rekening houden	(to) keep in mind

la terminación	de uitgang (van bijvoorbeeld een werkwoord)	ending
terminar	eindigen	(to) end
la ternera	het kalfsvlees	veal
el terremoto	de aardbeving	earthquake
el testimonio	de getuigenis	testimony
tibio	lauw	lukewarm
el tiburón	de haai	shark
el tiempo verbal	de werkwoordstijd	verb tense
tirando	okay, het gaat wel	okay
el tobillo	de enkel	ankle
tocar	aanraken	(to) touch
todavía	nog steeds	still
todavía no	nog niet	not yet
tomar	nemen	(to) take
tomar el sol	zonnebaden, in de zon liggen of zitten	(to) sunbathe
el tomate	de tomaat	tomato
el tomillo	de tijm	thyme
la tonalidad	de schakering	tonality
tónico	beklemtoond	emphasized
el tónico	de tonic, lotion	tonic
el toro	de stier	bull
la tos	de hoest	cough
traducir	vertalen	(to) translate
traer	meenemen	(to) bring
tranquilo	rustig	calm
transmitir	overbrengen	(to) transmit
trasladarse	verhuizen	(to) move
el trastero	de berging	box
el tratamiento	de behandeling	treatment
tratar	behandelen	(to) treat
tratarse de	omgaan met	(to) deal with
el trazo	de kwaststreek	line
la trenza	de vlecht	plait
el trigo	het graan, tarwe	wheat
el trozo	het stukje	piece
el truco	de truc	trick
tumbado	liggend	laid down
el turrón	de noga	turron

U

ubicar	lokaliseren	(to) locate
últimamente	de laatste	lately
último	laatste	last
la uña	de nagel	nail
la URSS (La Unión de Repúblicas Socialistas Soviéticas)	de Sovjet-Unie (voluit: Unie van Socialistische Sovjetrepublieken)	USSR
usar	gebruiken	(to) use
útil	nuttig	useful

V

la V.O. (versión original)	in de originele taal	in its original language
la vaca	de koe	cow
valer	waard zijn	(to) be worth
el valor	de waarde	value
la valoración	de waardering	recognition
vanguardista	baanbrekend, revolutionair	state-of-the-art
el vapor	de stoom	steam
variado	gevarieerd	varied
vasco	Baskisch	Basque
el vaso	het glas	glass
el vecino	de buurman	neighbour
el vegano	de veganist	vegan
el vegetariano	de vegetariër	vegetarian
la vela	de kaars	candle
la ventana	het raam	window
el ventanal	het grote raam	large window
ver	zien	(to) see
la verdura	de groente	vegetable
la vergüenza	de schaamte	shame
vestirse	zich aankleden	(to) get dressed
viajar	reizen	(to) travel
el viajero	de reiziger	traveller
la vida	het leven	life
el vientre	de buik	belly
vincular con	verbinden met	(to) connect with
la víspera	de vooravond	eve
la vista	het uitzicht	view

la vivienda	de woning	home
volar	vliegen	(to) fly
el voluntario	de vrijwilliger	voluntary
volver	terugkeren	(to) return
volver a (+infinitivo)	opnieuw + infinitief	infinitive + again
el vuelo	de vlucht	flight
la vuelta	de terugkeer	return
Y		
ya	al	already
ya no	niet meer	not anymore
ya que	want	because
la yerba	het kruid	herb
Z		
la zanahoria	de wortel	carrot

LÉXICO

1. A. ¿Qué puedes hacer para aprender un idioma? Relaciona las dos columnas. Puede haber varias posibilidades.

palabras y expresiones

textos

memorizar — canciones

escribir — periódicos

ver — en el diccionario

leer — un diario

repetir — en voz alta

buscar — revistas

películas en versión original

mensajes

B. Con las expresiones anteriores, escribe, al menos, cinco cosas que haces tú para aprender español. ¿Haces lo mismo que tu compañero?

....

....

....

....

- Yo, para memorizar palabras escribo tarjetas y las pego en las paredes de casa.
- Pues yo tengo un cuaderno de vocabulario y hago listas de palabras.

2. Marca la palabra intrusa en cada serie. Luego añade dos elementos más para cada serie.

Hacer: exámenes – información – ejercicios de léxico – juegos en clase ....

Chatear: con amigos – en internet – con un nativo – de móvil ....

Hablar: cinco idiomas – una frase – con fluidez – correctamente ....

Trabajar: en grupo – de forma individual – con gente – un intercambio ....

3. Piensa en situaciones fuera y dentro de clase y completa los siguientes enunciados con información sobre ti. Coméntala con dos compañeros. ¿Tenéis algo en común?

Me siento mal *cuando un amigo tiene un problema y no puedo ayudarlo.* ....

Me siento ridículo/-a cuando ....

Me siento inseguro/-a ....

Me da vergüenza ....

Me lo paso bien ....

1. Completa el siguiente asociograma sobre el cine.

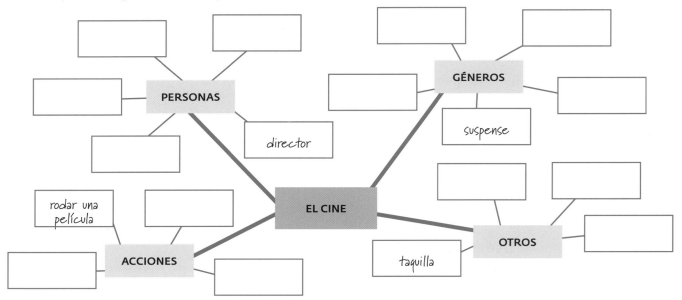

PERSONAS

GÉNEROS

director

suspense

EL CINE

rodar una película

ACCIONES

OTROS

taquilla

2. A. Relaciona las dos columnas para formar combinaciones habituales. Puede haber más de una posibilidad.

ganar	**1**	**A** un viaje
tener	**2**	**B** un mundial de fútbol
hacer	**3**	**C** a América
llegar	**4**	**D** como traductora
terminar	**5**	**E** mucho éxito
trabajar	**6**	**F** los estudios

B. ¿Qué otras palabras o grupos de palabras pueden acompañar a esos verbos? Escríbelo.

1. Ganar: ....

2. Tener: ....

3. Hacer: ....

4. Llegar: ....

5. Terminar: ....

6. Trabajar: ....

3. A. Escribe diez frases sobre ti con estas construcciones verbales y estos marcadores.

construcciones verbales	marcadores
• nacer en / irse a vivir a • terminar los estudios • hacer un viaje • casarse • enamorarse a primera vista	• el mes / año pasado • hace un / dos / tres... meses / años... • en enero / febrero / marzo... de 1990 / 2012... • desde... hasta... • nunca

B. Intercambia tus frases con las de un compañero. Hazle preguntas sobre sus frases y contesta a las suyas.

1. Relaciona cada una de estas palabras y expresiones con el verbo adecuado.

moderno   a una plaza   sin amueblar   listo para entrar a vivir   amplio   un chalé   a la calle   acogedor

luminoso   un estudio   de madera   de cerámica   bien comunicado   a cinco minutos del centro

ES	ESTÁ	DA

2. ¿Cómo son estas cosas? Escríbelo.

1. El sofá que tienes en el salón: ....

2. La cocina de la casa de tus padres: ....

3. Tus sábanas favoritas: ....

4. Un objeto o mueble que es importante para ti: ....

3. A. Completa.

En el salón hago estas cosas:
El adjetivo que mejor describe mi casa es
En mi casa me gustaría tener
Mi parte favorita de la casa es   porque
Lo que más me gusta de mi habitación es (que)
El último mueble que he comprado es   Es

B. Compara tus respuestas con las de tu compañero. ¿Tenéis algo en común?

– En el salón veo la tele, leo, trabajo con el ordenador y estoy con amigos.
– Yo también, y además escucho música porque tengo un equipo de música.

4. ¿Cómo pueden ser los siguientes objetos o lugares? Escribe al menos tres elementos en cada uno.

1. una casa **con**: .....jardín,...

2. un piso **para**: .....las vacaciones de verano,...

3. una lámpara **de**: ....

1. ¿Qué expresiones puedes formar con los siguientes verbos? Escríbelo al lado de cada uno.

dar *permiso,* ....

pedir ....

dejar ....

2. Completa los siguientes diálogos.

A

• Oye, María, lo siento, me tengo que ir, que llego tarde al trabajo.

○ Claro, no te preocupes, mujer, ya nos .... otro día. Dale .... a tu marido.

B

• ¡Hola, Clara! ¡Qué sorpresa! ¡Cuánto tiempo sin ....! ¿Qué tal todo?

○ Sí, ¡qué alegría verte! Pues bien, la verdad, todo de maravilla. ¿Y tú?

• Bien, la verdad es que no me .... He cambiado de trabajo y estoy súper contenta.

C

• Oye, Julio, pues ya nos vemos otro día, ¿vale?

○ Claro, nos .... pronto y tomamos un café. ¡Tenemos que ponernos al día!

3. Elige la opción correcta.

1. Perdone, ¿**me pone** / **me deja** / **puedo pedir** un té con leche, por favor?

2. Chicos, ¿**podéis** / **puedo** / **os importa** si apago la calefacción? Es que hace mucho calor.

3. Mario, ¿**me dejas** / **me das** / **tienes** tu tienda de campaña este fin de semana? Me voy de acampada con unos amigos y no tenemos ninguna.

4. Sabrina, ¿**puedes** / **me das** / **puedo** utilizar tu ordenador para hacer un trabajo? El mío no tiene batería.

4. A. Completa con información personal.

Un libro que estás leyendo estos días: ....

Un tema del que se está hablando mucho en las noticias últimamente: ....

Algo que estás haciendo mientras estudias español: ....

Alguien que está haciendo algo curioso cerca de ti: ....

B. Ahora escribe dos frases más como las anteriores y dáselas a tu profesor. Él va a redistribuirlas entre toda la clase. Completa la que te va a dar. Luego poned vuestras respuestas en común.

1. En parejas, poneos de acuerdo y ordenad cronológicamente los siguientes hechos en la vida de una persona según vuestra opinión o vuestra experiencia. Después, comparad vuestra respuesta con otros compañeros. ¿Hay muchas diferencias?

jubilarse	divorciarse	ir a la escuela	enamorarse por primera vez	tener un hijo
ir a la universidad	ir al instituto	dar el primer beso	acabar los estudios	casarse
irse de casa	empezar a trabajar	nacer	viajar solo por primera vez	comprar una casa

– Primero te casas y luego compras una casa, ¿no?

– Bueno, puedes comprar una casa sin estar casado.

2. En parejas, haced una lista de cosas que os gustaría hacer este fin de semana. Después, planificad qué vais a hacer cada día y contádselo al resto de la clase

COSAS QUE QUEREMOS HACER ESTE FIN DE SEMANA	CUÁNDO
Ir a un local a escuchar música en directo	El viernes por la noche

El viernes por la noche vamos a ir a "La Coquette" a escuchar música en directo. Hay un concierto de...

3. ¿Qué tipo de viajero es tu compañero: un aventurero o un turista típico? Escribe siete preguntas para averiguarlo. Después házselas y comparte tus conclusiones con el resto de la clase.

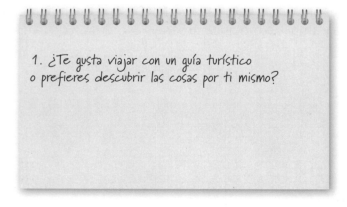

1. ¿Te gusta viajar con un guía turístico o prefieres descubrir las cosas por ti mismo?

1. Vais a hacer una fiesta de fin de curso en la clase. En parejas, preparad una lista de las cosas que queréis comprar y anotad el precio aproximado de cada una.

LISTA DE LA COMPRA	PRECIO
3 barras de pan	3 euros

– ¿Compramos pan para hacer bocadillos?

– ¡Genial! Podemos hacerlos de jamón, de queso, etc.

2. A. Lee las definiciones y completa el siguiente crucigrama.

Horizontales:

1. Con esta fruta se hace el guacamole.

2. Es un producto lácteo que se toma en bocadillos, como aperitivo, etc. En España hay algunos muy famosos como el manchego, el idiazabal, etc.

3. Es uno de los ingredientes principales de la tortilla de patatas. Se puede tomar también frito, cocido, etc.

4. Es un embutido que se hace con carne de cerdo. En España hay algunos muy famosos como el ibérico, el de pata negra, etc.

Verticales:

1. Es un cereal y es el ingrediente principal de la paella.

2. Se usa para freír, para aliñar ensaladas, etc. En España, el más típico es el de oliva.

3. Es una bebida blanca que se puede tomar sola, con café, con té, etc.

4. Es un pescado de color rosa y es típico de países nórdicos.

B. Piensa en tres alimentos y escribe sus definiciones. Después, léeselas a tu compañero, que tiene que adivinarlas.

– Es una fruta amarilla que se pela. Los más famosos son de Canarias.

– ¡El plátano!

3. Completa la serie con tres alimentos para cada verbo. Después, compara tus respuestas con las de tu compañero y amplía o modifica tu serie.

1. pelar: calabacín

2. cortar:

3. freír:

4. cocer:

5. congelar:

6. asar:

– Yo normalmente pelo el calabacín.

– Ah, ¿sí? Pues yo no lo pelo nunca, me gusta con piel.

1. Relaciona las siguientes frases con su continuación más lógica.

1 Ayer conocí al hermano de Marta. Estuvimos hablando un buen rato y me pareció un chico muy interesante.

2 Esta tarde he ido a una exposición de fotos titulada *Mujeres fundamentales del siglo xx* en el Centro de Cultura Contemporáneo. Ha sido superinteresante.

3 El sábado fuimos a ver la última película de Almodóvar. Nos decepcionó un poco porque el guion no era muy bueno.

4 El fin de semana pasado por fin conocí a los padres de Juan. Son unas personas muy amables y educadas.

5 Este fin de semana hemos estado en una casa rural con los compañeros de clase. Hemos hecho excursiones, hemos comido fenomenal y hemos descansado un montón.

6 Ayer fui a la fiesta de cumpleaños de un compañero de trabajo. Fue en un restaurante muy elegante y la gente era bastante seria.

A Me cayeron muy bien.

B La verdad es que no me lo pasé muy bien.

C Nos pareció un rollo, la verdad.

D Me ha encantado.

E Me cayó genial.

F Nos lo hemos pasado genial.

2. A. Imagina que tu compañero te dice las siguientes frases. ¿Cómo reaccionarías? Escríbelo.

Me han subido el sueldo 300 euros. ....

¿Sabes que han abierto una nueva librería en el barrio? Hay libros de segunda mano y también organizan actividades con escritores, artistas...

....

Ayer por la noche me robaron el móvil en un bar. ....

B. Ahora escribe tú tres frases con información real. Tu compañero tiene que reaccionar.

3. Completa la siguiente ficha con la información de un compañero.

Un libro especial para ti: ....

Un restaurante fantástico de tu ciudad: ....

El mejor lugar para ir de vacaciones: ....

Una persona que has conocido estudiando español: ....

Tu película favorita: ....

– ¿Un libro especial para ti?

– Pues "Libertad", de Jonathan Franzen. Lo leí el año pasado y me encantó.

1. ¿Con qué partes del cuerpo relaciones estas acciones?

1. besar: ....

2. tocar el piano: ....

3. recibir un masaje: ....

4. ir en bicicleta: ....

5. peinarse: ....

6. oler una flor: ....

7. cantar: ....

8. jugar al tenis: ....

2. Piensa en cinco enfermedades o problemas de salud y completa la tabla.

ENFERMEDAD O PROBLEMA DE SALUD	PARTE DEL CUERPO RELACIONADA	CONSEJO
Tener acné	Cara	Lavarse la cara todos los días y usar una crema especial.

3. Piensa en un compañero de clase y escribe una breve descripción utilizando los verbos **ser** y **estar**. Después, lee tu descripción al resto de la clase. ¿Saben quién es?

Mi compañero es de Ámsterdam. Tiene 20 años. Es estudiante de arquitectura y ahora está haciendo un máster en la universidad de Utrecht. Es alto y moreno. Es un chico tranquilo y responsable. Es divertido y siempre está de buen humor. Hoy no ha venido a clase; creo que está enfermo.

4. ¿Cómo te sientes en las siguientes situaciones? Habla con tu compañero. ¿Os sentís igual?

Cuando hace sol ....

Cuando llueve ....

Cuando tengo prisa y hay mucho tráfico ....

Cuando tengo un examen ....

Cuando estoy de vacaciones ....

Cuando es mi cumpleaños ....

– Cuando es mi cumpleaños siempre estoy contento porque me encanta hacer fiestas y celebrarlo con amigos.

– Pues yo, cuando es mi cumpleaños me siento triste. No me gusta nada cumplir años.

1.A. Clasifica las siguientes palabras en la columna correspondiente.

enfermedad   golpe de estado   pena de muerte   náuseas   ordenador   esperanza de vida   ley   mareado

preso   rueda   fiebre   imprenta   penicilina   democracia   estómago   internet   Constitución

SALUD	INVENTOS Y DESCUBRIMIENTOS	POLÍTICA

B. Escribe dos palabras más para cada categoría.

2. A. ¿Cómo eran las cosas antes y cómo son ahora en los siguientes ámbitos? Escríbelo en las fichas.

ECOLOGÍA

Antes ....

....

Ahora ....

....

POLÍTICA

Antes ....

....

Ahora ....

....

COMUNICACIÓN

Antes ....

....

Ahora ....

....

SALUD

Antes ....

....

Ahora ....

....

B. En parejas, leed y comentad vuestras fichas. Intentad utilizar algunos de estos recursos.

– Antes la gente no se preocupaba por su salud y vivían más años. Ahora la gente tiene más información, cuida más su dieta, pero hay más enfermedades.

– No estoy de acuerdo. Ahora la esperanza de vida es mucho mayor.

RECURSOS LINGÜÍSTICOS	
Bueno, sí, pero...	Bueno, eso depende de...
No sé, creo que...	No estoy de acuerdo. Para mí...
Es verdad...	Estoy de acuerdo...
Ya, pero...	Yo creo que no...

1. Relaciona las dos columnas de manera lógica.

convertirse en	**1**		**A**	un accidente
dar	**2**		**B**	un continente
descubrir	**3**		**C**	el primer presidente afroamericano
producirse	**4**		**D**	una guerra
empezar	**5**		**E**	un golpe de estado

2. Completa la siguiente ficha. Después coméntala con tus compañeros.

Me da / miedo ....

Me emociono mucho cuando ....

Paso mucha vergüenza cuando / si ....

Me río mucho cuando ....

3. Elige la opción correcta.

El martes pasado / Hoy / Esta mañana me pasó una cosa muy divertida. **Luego / Resulta que / Por eso** era el cumpleaños de mi mejor amiga y había organizado una fiesta en su casa con un montón de amigos. Había compañeros de trabajo, amigos de la infancia, de la universidad, etc. **Más tarde / Un día / De repente**, mientras hablaba con un grupo de amigas, se me acercó un chico alto y moreno. El chico me dijo: "Hola, Eva. ¿No sabes quién soy?" Yo me quedé muy sorprendida, porque no sabía quién era. El chico me volvió a preguntar: "¿No te acuerdas de mí? ¿De verdad no sabes quién soy?" Yo me puse a pensar y, **así que / porque / entonces**, me di cuenta de que la cara me resultaba familiar. Me fijé en que tenía unos ojos azules preciosos, descubrí que tenía un lunar en la mejilla y, justo **una vez / en ese momento / luego**, lo recordé todo: era Luis, un amigo del colegio y el chico de quien estuve enamorada ¡todo un curso! Cuando le dije que sí sabía quién era, los dos nos echamos a reír. ¡Había sido mi primer amor platónico y no lo había reconocido!

TRANSCRIPCIONES

1. EL ESPAÑOL Y TÚ

2
01

- Hola. ¿Qué tal?
- Hola…
- Mira, soy Carmen. Y tú, ¿cómo te llamas?
- Barbara.
- ¿De dónde eres, Barbara?
- De… Alemania, de Berlín.
- De Berlín. ¿Cuánto tiempo piensas estar aquí en España, Barbara?
- Pienso que dos meses, pero si encuentro trabajo me voy a quedar más.
- A ver si hay suerte. Y… ¿qué haces en Alemania? ¿A qué te dedicas?
- Soy secretaria.
- Mm, secretaria. ¿Hablas otras lenguas?
- Sí, un poco de italiano, inglés bastante bien y también un poco de francés.
- Muy bien, hablas muchísimas lenguas. Y… ¿por qué estudias español, Barbara?
- Porque tengo que hacer un examen este año, pero también porque quiero vivir en España o en algún país de Latinoamérica, como Argentina o Chile.
- Te gusta viajar. Y… ¿cuánto tiempo hace que estudias español?
- Mm… pues… hace dos años.
- ¿Y qué cosas te gusta hacer en clase?
- No sé… Me gusta leer textos y hacer ejercicios en grupo, con mis compañeros. No me gusta mucho escribir.
- Ah, no te gusta escribir. ¿Qué dificultades crees que tienes con el español? ¿Qué cosas te cuestan más?
- Uf… ¡¡Muchas, supongo!!
- ¡Qué va, mujer! Hablas muy bien.
- No sé, por ejemplo, me cuesta mucho diferenciar entre "ser" y "estar" y a veces me cuesta pronunciar la erre.
- Bueno, es cuestión de práctica. ¿Y qué te gusta hacer en tu tiempo libre?
- Me gusta mucho la música, también me encanta ir a la playa y salir con los amigos.
- Muy bien, Barbara. Ya hemos acabado. Muchas gracias.

8
02

- Oye, Ana, tú hablas muchas lenguas, ¿no?
- Sí, bueno, unas cuantas. Aparte de español, hablo polaco, inglés e italiano.
- ¿Polaco? Nunca te he oído hablar polaco…
- Ya, porque solo lo hablo en casa, con mis padres y con mis hermanos, porque mis padres son de Polonia y esa es la lengua que hablamos en casa. Además también lo hablo cuando voy a Polonia en vacaciones, con mis amigos y con mis abuelos, que viven allí.
- O sea, que es un poco tu lengua materna…
- Sí, sí, es mi lengua materna.

- ¿Y el inglés? ¿Hablas bien?
- Bueno, el inglés lo estudio en la universidad, porque estudio Filología Inglesa, y lo hablo con muchos amigos del extranjero con los que nos comunicamos en inglés.
- Pues si estudias Filología Inglesa seguro que lees un montón, ¿no?… en inglés.
- Un montón y además me encanta la literatura inglesa y norteamericana. Y, bueno, además, veo muchas series en inglés, escucho música en inglés… Así que con el inglés estoy en contacto continuamente.
- E italiano también…
- Sí, pues el italiano lo hablo un poco porque mis padres tienen un apartamento en la costa, cerca de Génova, y vamos cada año en verano.
- Caray, ¡qué suerte! Y seguro que te sabes todos los nombres de los platos increíbles que hay de pasta, ¿no?
- Sí, todos.
- Mm, qué bien. Bueno, y seguro que lo hablas perfecto, ¿no? Si vas cada año…
- Bueno, me defiendo. La verdad es que veo bastante la televisión en italiano, así que me defiendo bien, pero lo hablo regular y por eso voy a clases.

2. UNA VIDA DE PELÍCULA

3
03

- Bienvenidos un día más a *Tardes de cine*. Como cada día, empezamos nuestro programa hablando de un personaje. Nuestro personaje de hoy es el director de cine Alejandro Amenábar.
- Sí, un director con una carrera muy exitosa, ¿no?
- Mucho. Y es extraño porque en el extranjero muchos no lo conocen.
- No es tan conocido como Almodóvar…
- No. Pero, sin embargo, sí que son muy conocidas sus películas, sobre todo las que ha rodado en inglés, como *Los otros* o *Ágora*. Bueno, y también *Abre los ojos* o *Mar adentro*. Por lo menos son muy conocidas en España… Pero bueno, hablemos un poco de él y de sus películas. Alejandro Amenábar nació en 1972 y a principios de los años 90, con veinte años, rodó sus primeros cortometrajes, *Luna* y *La cabeza*. Poco después, estrenó *Tesis*, su primer largometraje, con el que ganó el premio Goya al mejor director novel. Luego, en 1997, llegó la película con la que se hizo famoso en España, *Abre los ojos*.
- Sí, con los actores Eduardo Noriega y Penélope Cruz.
- Exactamente. Esa película tuvo tanto éxito que Tom Cruise compró los derechos para hacer una versión americana, *Vanilla Sky*, en la que también actúa Penélope Cruz, pero que no tuvo tanto éxito como *Abre los ojos*… A pesar del éxito que tuvo en España *Abre los ojos*, Amenábar empezó a ser conocido internacionalmente cuando estrenó *Los otros*, película

que ganó 8 premios Goya, entre ellos el premio a la mejor película, al mejor director y al mejor guión original. Más tarde, en 2004, ganó 14 premios Goya con *Mar adentro*, una película basada en una historia real, la del tetrapléjico Ramón Sampedro, representado por el actor Javier Bardem.

○ Fantástica película. Además, consiguió un Óscar a la mejor película de habla no inglesa.

● Sí, y aquí no termina todo, porque en 2009 rodó *Ágora*, la película más cara del cine español, una película histórica que narra la historia de la filósofa Hipatia, que vivió en Alejandría en el siglo iv a.C.

 9

● Verónica, tú tienes una vida bastante interesante, ¿no?

○ Bueno, sí, si se puede decir...

● Porque has vivido en muchísimos sitios...

○ Bueno, nací y viví en Argentina hasta el año 2008 y cuando finalicé mis estudios me fui a México.

● México, caray. ¿Y qué hiciste en México?

○ Al principio viajé, recorrí un poco el país, visité a amigos... Luego decidí quedarme y busqué un trabajo.

● Ah, muy bien, ¿y de qué trabajaste?

○ En un momento trabajé de camarera en un restaurante, luego me llamaron de un hotel en la playa y me fui a Puerto Vallarta, que queda en la costa del Pacífico, y trabajé de fotógrafa.

● Qué bonito, ¿no?

○ Sí, muy bonito.

● ¿Y luego, ya te fuiste de México?

○ Luego, en el año 2009, viajé a Londres a estudiar inglés.

● Ah, ¿y cuánto tiempo te quedaste en Londres?

○ Tres meses.

● Ah, ¿y aprendiste mucho?

○ Bueno, un poco.

● Y luego ya entonces es cuando te viniste a España, ¿no?

○ Sí, en el año 2009 me vine a España.

● Y en España supongo que has hecho muchas cosas, también ¿no?

○ Sí, sí, los primeros años trabajé de camarera, de canguro, de dependienta y desde hace seis meses tengo un proyecto musical con unos amigos.

3. HOGAR, DULCE HOGAR

 3

● Este me gusta mucho, mira.

○ Ay, no, no me gustan nada los cojines.

● ¿No? Bueno, a ver, yo hablo del salón en general, pero a mí los cojines sí que me gustan, me parecen muy alegres.

○ Ya, son tu estilo, eso es verdad... Y el cuadro seguro que también te gusta, ¿no?

● Sí, es así... étnico... Sí, es mi estilo. Pero, a ver, ¿el salón te gusta o no?

○ Sí, sí, me gusta, es muy luminoso.

● Sí, a mí me parece muy acogedor... Me encanta.

○ Pero para mi gusto es demasiado moderno.

● ¿Demasiado moderno? ¿En serio? Es que eres superclásico. A mí me parece muy normal. No sé, ¿moderno?

○ Bueno, no sé, quizás es me parece un poco frío, porque todos los muebles son muy blancos.

● Pues a mí eso me gusta, me parece que le da claridad. Lo que no me gusta mucho es la estantería. Con ese color... así... me parece muy vieja. Pero lo demás me encanta.

○ ¿Sí?

● Sí, sí. ¿No te gusta ningún mueble?

○ A ver, sí... El sofá no está mal, pero es muy pequeño, y a mí me gusta tener mucho sitio para tumbarme...

● Sí, eso es verdad. ¿Y el sillón? ¿El sillón no te parece chulo?

○ No está mal, pero yo prefiero un sillón de piel, de esos marrones...

● Es que eres un clásico... Lo que te he dicho.

 5

● Julián, ¡me han dicho que te has comprado una casa!

○ Sí, bueno, es un piso...

● Ya, sí, me imagino... Pero muy bien, ¿no? ¿Y cómo es?

○ Pues, mira, tiene 55 metros cuadrados, es un ático...

● Aja, ¡qué bien!, mi piso también es un ático. ¿Y dónde está?

○ Está en el centro de la ciudad, es una zona muy bonita.

● Ajá... El mío es más grande, tiene unos 70 metros cuadrados, pero no está en el centro, está en las afueras de la ciudad...

○ Sí, es que en el centro los pisos son muy caros.

● Sí, es verdad.

○ A ver, es un edificio antiguo, pero con ascensor.

● Eso está bien.

○ Sí, y es pequeño, pero es muy acogedor. Tiene un salón de 20 metros cuadrados, tiene mucha luz, una habitación y una cocina americana.

● ¿Una cocina americana? ¡Qué bien!, ¿no?

○ Sí, es muy chula. Y además tengo una terraza de 15 metros cuadrados.

● ¿Ah sí? Yo también tengo terraza, pero la mía es un poco más pequeña. Pero también hay mucha luz, eso es muy importante.

○ Sí.

● Qué bien, ¿no? Un piso en el centro y con terraza... ¿Tiene vistas?

○ Sí, tiene unas vistas muy bonitas y... es muy luminoso.

● ¿Y es tranquilo?

○ No, eso no. Da a una calle peatonal y a un mercado, así que es bastante ruidoso...

● Ajá...

○ El tuyo sí que es tranquilo, ¿no?

● Sí, claro, está en una zona residencial. Además mi terraza da al campo... ¡No se oye ningún ruido!

TRANSCRIPCIONES

8

07-10

1.
JORGE

- ¿Y tu lugar favorito cuál es?
- Bueno, es que yo no tengo un lugar favorito, tengo dos lugares favoritos en casa.
- ¿Dos?
- Sí, sí. El comedor y el baño.
- ¿Y el comedor? ¿Por qué el comedor?
- Bueno, el comedor porque cuando llegas de trabajar me encanta sentarme con toda mi familia allí en la mesa y hablar sobre lo que hemos hecho durante el día...
- O sea, es un espacio familiar.
- Totalmente, totalmente.
- Ajá... Y solo para la familia...
- Sí y no, de vez en cuando vienen amigos, me gusta preparar una cena especial... Y en la mesa, yo creo, del comedor es cuando surge la magia.
- Mm. ¿Y el baño? ¿Por qué el baño?
- El baño indudablemente porque cada noche después de un día estresante me gusta tomar un baño caliente y me relaja muchísimo, muchísimo. Sobre todo si el día ha sido duro.
- No, ya, ya, claro.

2.
FIONA

- Pues me encanta estar en casa. Pasar ratitos en casa es lo mejor.
- Sí. ¿Y cuál es tu lugar favorito?
- Ahora el salón. Lo acabo de pintar y está precioso.
- ¿De qué color?
- Azul.
- ¡Qué bien! ¡Qué bonito!
- Y con la luz que entra, de verdad es una maravilla.
- ¡Qué bonito!
- Me encanta sentarme allí, leer un rato, ponerme cerca del balcón que a veces entra un rayito de...
- ¿Te gusta escuchar música?
- Sí, además tengo el equipo allí mismo.
- Ajá.
- Sí, sí.
- En el salón, ¿no?
- Sí, sí.
- ¡Qué bien!
- Un día te invito a tomar un café.

3.
PEDRO

- Y, Pedro, ¿cuál es tu lugar favorito en tu casa?
- En mi casa, el dormitorio.
- ¿Y eso?
- Sí, sí. Me levanto a la mañana y viene el pibe y me despierta...
- ¿Tienes un hijo?
- Sí. Un año y medio, tiene.
- Ah, es pequeñito.
- Y jugamos todo el tiempo ahí. Todo el rato libre que tengo lo paso con él ahí...

- ¡Qué bien!
- Tengo la tele, miramos películas, a veces inclusive comemos ahí en la cama.
- ¡Qué bien!
- Y además me encanta dormir.
- Ya. No, no, si es el mejor sitio...

4.
CAROLINA

- ¿Y en tu casa cuál es tu lugar favorito, Carolina?
- Bueno... mi lugar favorito... Hombre, cuando hace buen clima me gusta mucho estar en la terraza.
- Ah, tienes terraza... ¡Qué bien!
- Sí, una terraza muy agradable, muy grande. Y me encanta porque tengo matas, y tengo flores y me gusta cuidarlas...
- ¡Qué envidia!
- Ya ves. Y a veces también tomo el sol.
- ¡Qué bien! ¡Me invitarás un día de estos?
- Por supuesto; eres bienvenido cuando quieras.

4. ¿CÓMO VA TODO?

3

11-16

1.

- Oye... Lorenzo, ¿me prestas cinco euros para desayunar? Es que me he dejado el monedero en casa.
- Sí, mujer, toma. ¿Seguro que tienes bastante con cinco?
- Sí, sí, perfecto. Mañana te los devuelvo. Muchas gracias.

2.

- Hola buenas tardes, ¿qué desean?
- ¿Qué quieres tomar?
- Yo un cortado.
- A mí póngame un café...
- Un cortado y un café. ¿Desean alguna cosa más?
- No, no, no, gracias.
- Bueno, ¿y qué tal? ¿Cómo te va la vida?
- Pues, bien. No me puedo quejar...
- ¿Qué estás haciendo ahora? ¿Has cambiado de trabajo?
- Uy, sí. Hace un año. Ahora estoy trabajando para varias productoras de cine.
- ¡Ah, qué bien!
- Sí, no me puedo quejar. ¿Y tú qué haces?
- Yo estoy trabajando en la empresa de mi hermano.
- ¿Y qué tal?
- Pues muy bien.
- ¿Y de novios qué tal? ¿Estás saliendo con alguien?
- Pues mira, no.

3.

- ¡Uf! ¡Qué calor! ¿Usted no tiene calor?
- No, no... estoy bien.
- ¿Le importa si abro la ventana? Es que, de verdad, tengo mucho calor.
- Ábrala, ábrala. No se preocupe.

4.
- Oye, Patricia, que… hay una cosita que quería pedirte. Mira, es que este domingo tengo una boda.
- ¿Ah sí?
- Sí, tengo una boda de un compañero de mi marido que se casa y, bueno, me he comprado un vestido muy bonito, pero me falta un pañuelo, y he pensado que ese pañuelo azul que tienes, aquel como oscuro… ¿Me lo podrías dejar?
- Por supuesto, por supuesto que sí te lo presto. No hay problema. Pasas por mi casa y lo recoges.
- Muchas gracias.

5.
- Oiga, perdone. ¿Le importaría vigilar mi equipaje? Es que tengo que ir un momento al lavabo. Solo será un momento, de verdad.
- Claro, claro. Vaya tranquila. No se preocupe.
- Muchísimas gracias.
- De nada. Tranquila.

6.
- Sara, ¡cuánto tiempo!
- Hola. ¿Qué tal?
- Muy bien. ¿Qué haces por aquí?
- Nada, he quedado con unos amigos. ¿Y tú?
- Pues ya ves, aquí tomando una cañas. Oye, espera que te presento. Esta es Rosa, una compañera de trabajo.
- Hola, mucho gusto.
- ¿Qué tal? Encantada.
- ¿Quieres tomar algo?
- Sí, ¿por qué no?

12
17
- Oye, María, tengo que pedirte un favor.
- Dime.
- ¿Me podrías dejar tu coche, un día? Es que tengo que ir al centro comercial a comprar unos muebles.
- Uf, no sé, Miguel… Es que es muy nuevo, ya sabes que me lo acabo de comprar y, no sé, me da cosa.
- Ya, ya, ya lo sé. Me harías un gran favor. Es que es una estantería muy pesada y no puedo llevarla en metro o en autobús…
- De verdad que te entiendo, ¿eh? Pero es que a veces ya he dejado el coche y…
- Me sabe mal pedírtelo, de verdad. Pero te prometo que voy a tener mucho cuidado. Además, solo para un par de horas.
- A ver, ¿cuándo lo necesitas?
- Cuando tú me digas. El viernes, por ejemplo, por la mañana.
- No sé, Miguel. Es que, de verdad, es que además conduces fatal y me da un miedo…
- Bueno, he mejorado mucho, eh?
- ¿En serio? ¿Tú crees? Bueno, a ver, vamos a hacer una cosa. ¿Qué te parece si vamos el viernes pero conduzco yo? Así me quedo más tranquila.
- Vale, sí, ¡muchas gracias! Pero, ¿de verdad no te importa?
- No.

5. GUÍA DEL OCIO

3
18-21

1.
- Hola, buenos días. Estamos haciendo una encuesta para la Radio Joven. Os quería hacer unas preguntas. ¿Estáis llegando de vuestras vacaciones?
- Sí, sí, acabamos de llegar. Estamos cansadísimos.
- Ya, me imagino… ¿Y de dónde venís?
- Hemos estado en Chile.
- Ah, ¿y qué tal? ¿Bien?
- Muy bien, hemos recorrido casi todo el país. Hemos estado en Santiago de Chile, en Valparaíso, en Tierra de Fuego, en los Andes…
- ¿Qué habéis visto en los Andes?
- Hemos estado en la zona del volcán Osorno y es una zona súper bonita.
- ¿Y habéis estado en más sitios? ¿Alguna isla?
- Sí, hemos ido a la Isla de Pascua y también hemos estado en la isla de Chiloé.
- ¡Qué bien! ¿Es bonita?
- Preciosa.
- ¿Y la comida qué tal? ¿Qué habéis comido?
- Bueno, pues muchas empanadas, pescado… La comida está muy buena.

2.
- Hola, buenos días.
- Buenos días.
- ¿Os puedo hacer unas preguntas?
- Sí, sí, claro.
- Son para Radio Joven. Estamos haciendo una encuesta sobre las vacaciones. ¿De dónde venís?
- Pues llegamos ahora mismo de Roma.
- ¿Y qué tal?
- Bueno, todo fantástico. Ha sido impresionante el viaje, pero sin duda lo que nos ha gustado más ha sido la Piazza Della Rotonda.
- Os ha gustado.
- Mucho, pero bueno, en Roma hay un montón de plazas súper bonitas…
- Claro, es que es una ciudad preciosa. ¿Y qué más habéis hecho allí?
- Pasear, visitar museos… Hemos ido varias veces al teatro, hemos salido de noche…
- Muy bien, ¿y la comida qué tal? Porque la comida italiana es fantástica.
- Bueno, es que nosotros tenemos un pequeño problema: que no nos gusta la pasta ni la pizza, entonces la suerte que hemos tenido es que el primer día encontramos un restaurante de pescado buenísimo y hemos ido prácticamente cada día. Fantástica la comida.
- Vale, gracias.

3.
- Hola, buenos días. Estamos haciendo una encuesta para Radio Joven sobre las vacaciones. ¿Dónde habéis estado?
- ○ Hemos estado en Costa Rica.
- ¿Costa Rica? ¡Qué interesante!
- ○ Sí, mucho, nos ha encantado, pero han sido solo diez días.
- ¿Y dónde habéis estado?
- ○ Pues solo en la costa caribeña porque con tan poco tiempo...
- ¿Y qué habéis hecho?
- ○ Pues hemos hecho excursiones en bici, hemos estado en la selva, hemos ido a la playa, y luego hemos estado en Tortuguero donde se ven tortugas. Se ve como ponen los huevos, como nacen las tortuguitas...
- ¿Y se come bien allí?
- ○ Pues se come muy bien. Lo que más recuerdo son los desayunos. Hacen unos zumos riquísimos con frutas tropicales, supervariados.

4.
- Hola, buenos días, estamos haciendo una encuesta para Radio Joven sobre las vacaciones. ¿Dónde habéis estado?
- ○ En Camboya.
- Ah, muy bien. ¿Os ha gustado?
- ○ Sí, sí, ha sido fantástico.
- ¿Y qué? ¿Qué habéis hecho?
- ○ Buf... Hemos hecho muchísimas cosas... El país es precioso. Hemos hecho muchas excursiones por la selva, una travesía de unos días por el río Mekong, en barco... Ah, y hemos visto edificios y monumentos increíbles, como el templo de Angkor Wat.
- ¡Qué bien!
- ○ Sí, es un país con una fauna y una flora increíbles.
- ¿Y no habéis estado en la capital?
- ○ Sí, en Nom Pen, y hemos comprado un montón de cosas: regalos para la familia, para amigos, ropa, comida... ¡La ropa es muy barata!

 5
- Bueno, ¿cuál vamos a ver?
- ○ A ver... ¿la nueva de Spielberg?
- Ay, no, ya la he visto.
- Vale... ¿qué te parece esta, *La habitación*? Es francesa, y la dan en versión original con subtítulos.
- Es que no me gusta mucho el cine en versión original. ¿Por qué no vamos a ver una española? Mira esta, ambientada durante la guerra civil. Ha ganado varios premios Goya.
- ○ Me parece bien una española, pero es que esa ya la he visto.
- ¿Y qué tal *Al rojo vivo*?
- ○ Uy, no... No me gusta ese director. Sus películas son demasiado violentas.

- Pues no se me ocurre qué otra... a ver qué más películas españolas en cartelera... ¡Ah! ¡Ya has visto la nueva de Almodóvar?
- ○ Pues no, todavía no la he visto. ¿Vamos a ver esa?
- Sí, por mí sí. Me apetece verla. Mira, todavía la dan en este cine, la sesión es a las 20.15 h...

 7
- Hola, Andrea.
- ○ Hola.
- ¿Qué tal la vida en Valencia?
- ○ Muy bien, me gusta mucho la ciudad.
- ¿Y cuánto tiempo vas a estar?
- ○ Pues voy a estar solo un semestre.
- ¿Y qué planes tienes?
- ○ Quiero descubrir la ciudad a fondo. Y aún no domino mucho el español, así que pienso ir a clases diarias de español.
- Ah, claro.
- ○ Y quiero conocer mejor la historia de España y tomar algunas clases optativas de historia...
- Y seguro que quieres divertirte también, ¿no?
- ○ Claro, y quiero salir por ahí y conocer mucha gente.
- Bueno, pues si necesitas algo ya sabes.

6. NO COMO CARNE

 6
- ¡Hola, mamá!
- ○ Hola, hijo...
- Oye, mamá, vienen unos amigos a cenar, ¿tú cómo haces la tortilla de patata?
- ○ Pues mira, es muy fácil. Pones mucho aceite en una sartén y lo calientas. Yo tengo un truco: siempre echo un diente de ajo. Cuando el ajo está dorado, lo saco y entonces añado las patatas. Las fríes muy bien, hasta que estén blanditas. También puedes poner un poco de cebolla, la añades un rato antes que las patatas... Luego añades los huevos. Los bates bien y los echas en la sartén. Cuidado, que no se te queme.
- Uf, qué complicado... Creo que haré unos bocadillos.
- ○ Hay que ver, hijo...

 9
- Buenas tardes Silvia y bienvenida. Muchas gracias por acompañarnos esta tarde.
- ○ Es un placer.
- Silvia, hemos recibido muchas preguntas sobre ti en nuestra página web. Mucha gente se pregunta si sigues algún tipo de dieta.
- ○ Bueno, trabajo como modelo desde los 14 años. Claro que he tenido que aprender a cuidarme y a seguir una dieta, pero no es muy estricta, no creas.
- ¿Qué comes?

○ Hombre, pues, mira, como mucha verdura, además me encanta. También como bastante carne, como hamburguesas, bistecs, pero siempre a la plancha...

● Ajá. Tú vives en Santander, al lado del mar, imagino que también comes mucho pescado, mucho marisco...

○ Bueno, pescado sí, a la plancha también, ¿eh? Pero marisco no, es que soy alérgica y además es muy malo para la piel.

● Ya. ¿Y fruta?

○ Bueno, muchísima fruta, todos los días me como media piña.

● Otra pregunta: ¿comes pan?

○ Sí, claro, pero siempre integral, eso sí. Nunca como pan blanco.

● ¿Y comes dulces?

○ Sí, de vez en cuando, claro, pero tengo que ser responsable y equilibrar mi alimentación. Bueno, a veces, en una fiesta de cumpleaños, por ejemplo, puedo comer un trozo de tarta.

● ¿Hay otras cosas que te gusta comer, pero que no puedes?

○ Sí, el chocolate. Me encanta, pero es algo que me tengo prohibido comer.

● Ya. ¿Y pasta?

○ Sí, como lasaña de vez en cuando. Es mi plato favorito.

● Ya. ¿Y en general cuál es tu cocina favorita?

○ Bueno, ahora mismo, la japonesa. He estado varias veces en Japón y me encanta el sushi: es buenísimo y además no engorda.

 10

● Oye, Antonio, ¿cómo es una comida familiar normalmente en tu casa? Un día festivo, así como... como en Navidad, por ejemplo.

○ Pues bueno, en Navidad se come mucho, se bebe, se canta, se baila, se hace de todo... Pero bueno, también hacemos comidas familiares en verano, por ejemplo. También es muy típico.

● ¿Al aire libre?

○ Sí, porque hay un patio, nosotros tenemos un patio muy grande, y entonces suele venir mi familia, nos reunimos todos y, bueno, pues, tenemos un pequeño protocolo. Primero se saca el aperitivo, después comemos y después tomamos el postre... Y después se toma algo, depende del calor que hace.

● ¿Y qué coméis normalmente?

○ Pues mira, al principio, ponemos el aperitivo, es como embutido, aceitunas, un poco de patatas chips, y en verano normalmente comemos carne, carne a la brasa. Y después el postre, bueno, pues si hace calor, pues un poco de helado, normalmente. Y, bueno, pues después el café.

● Bueno, veo que coméis mucho. ¿Quién cocina todo eso?

○ Mi madre. A ella le encanta cocinar. Lo que pasa es que nosotros no ayudamos, es difícil.

● Uy, qué mal, ¿no?

○ Pues sí, es que no nos deja entrar en la cocina.

● Sí, sí, ya.

○ Que sí, mujer, pero luego recogemos nosotros.

● Bueno, por lo menos...

○ Ya, ya.

● ¿Y duran mucho esas comidas?

○ Pues la verdad es que sí, normalmente empezamos sobre la una, más o menos, y terminamos a las ocho de la tarde, más o menos.

7. NOS GUSTÓ MUCHO

 3
27-29

1.

● Oye, ¿has visto qué artículo más interesante sobre México?

○ No, no lo he visto. ¿Está bien?

● Sí, sí, está muy bien. Hablan de literatura, música, cine... Mira, hablan de aquel libro de Ángeles Mastretta que te regalamos.

● *¿Mal de amores?*

● Sí, oye, por cierto, ¿lo leíste?

○ Sí, claro, lo leí. Me encantó. Es muy bueno. Hay historias de amor, está ambientada en el México revolucionario... No sé. Y la protagonista es un personaje superinteresante.

2.

● Mira, también habla de una cantante que no conozco, se llama Natalia Lafourcade.

○ ¡Ah sí! El otro día oí una canción suya, en casa de Jaime y me pareció muy bonita.

● ¿Sí? ¿Y qué tipo de música es?

○ Bueno, es como música actual, tipo pop, pero con sonidos electrónicos y muy mexicanos. Me pareció muy original.

● Ah, qué bien, pues me gustaría escucharla.

3.

● ¿Y de qué más habla el artículo?

● De la película *Nosotros los nobles*.

● Ah, he oído hablar de esa película. ¿La has visto?

○ Sí, la vi hace poco.

● ¿Y qué te pareció?

○ Me gustó mucho, es muy divertida, y además los actores están muy bien.

 6
30

● Hola, Carmen, ¿qué tal?

○ Muy bien, mañana empiezo mis vacaciones...

● ¡Qué bien! ¿Qué vas a hacer?

○ Me voy a Tailandia.

● ¡Qué envidia me das! Cuéntame un poco de tu plan.

○ Bueno, el vuelo es hasta Bangkok...

● Oye, ¿y cuánto te ha costado el vuelo?

○ 650 euros.

● ¡Qué barato!

- Sí, muy barato, he conseguido muy buena oferta... Bueno, paso una noche en Bangkok y luego me voy a Chiang Mai. Es una zona menos turística, ¡y voy a hacer una ruta en elefante!
- ¿En serio? ¡Qué emocionante! Yo siempre he querido montar en elefante.
- Sí, tengo muchas ganas, aunque me da un poco de miedo también...
- Normal.
- Después voy a visitar un poblado más al norte, donde viven las mujeres jirafa.
- Mujeres jirafa, ¿qué es eso?
- Y a estas mujeres desde pequeñas se les colocan unos aros en el cuello y tienen el cuello muy largo...
- Qué horror, ¿no? Bueno, ¿y después de eso qué vas a hacer?
- Después vuelvo a Bangkok y de ahí a las islas Phi Phi. Son unas playas paradisíacas...
- Mm, qué bien, ¿eh? Ya te imagino allí, en una hamaca, con tu piña colada en la playa...
- Sí, sí, yo también me imagino. Pero bueno, una amiga que fue el año pasado me ha dicho también que hay que tener cuidado con los monos.
- ¿Monos?
- Sí, hay muchos, e incluso te abren la mochila para agarrarte la comida...
- Qué curioso, ¿no?
- Sí, espero que a mí no me pase. La verdad es que tengo muchas ganas de hacer este viaje. También me gustaría ver los templos de Buda, en Bangkok. Mira este, tengo una foto, mira, es impresionante...
- Sí, ¡qué templo tan espectacular!
- Sí, ¿no?
- Pues que disfrutes mucho tu viaje, Carmen, ¡ya me contarás qué tal!

7

31-33

1.
- ¿Has estado en el Soniquete?
- ¿El Soniquete?
- Sí, mujer, el restaurante nuevo de la plaza de la Cruz.
- Ah, sí, sí, estuve la semana pasada.
- ¿Y qué tal?
- Ah, pues me gustó mucho, está muy bien. Comimos un pescadito frito buenísimo. Además, ponen flamenco de fondo. Es muy agradable.
- ¿Y es caro?
- No, no me pareció caro.

2.
- ¿Sabes? Ayer conocí a Rosario.
- ¿La novia de Carlos?
- Sí.
- ¿Y qué? ¿Qué te pareció? Guapísima, ¿no?
- Sí, además me pareció muy simpática, muy maja. Un encanto.
- Sí, la verdad.

3.
- Elena, tú eres de Castellón, ¿no?
- Sí, de Morella.
- ¡Ah! ¡Qué bonito!
- ¿Has estado en Morella tú?
- Sí, hace unos años.
- Y te gustó...
- Me encantó. El castillo, las murallas, las casitas... Es un pueblo precioso.
- Bueno...
- ¿Tu familia vive allí?
- Sí. Yo soy la única de mi familia que ya no vive allí.

8. ESTAMOS MUY BIEN

 6A

34-37

1.
- Uy, tienes mala cara.
- Es que no estoy bien, me duele mucho una muela. Y ya hace unos días que me duele...
- ¿Te has tomado algo?
- Sí, una aspirina, pero no sirve de nada...

2.
- ¡Hola!
- ¡Hola!
- Uy, estás resfriada, ¿no?
- Sí, y tengo mucha tos. No he podido dormir en toda la noche.

3.
- Hola, Carlos.
- Hola.
- Oye, tienes mala cara. ¿Te pasa algo?
- Sí, es que tengo un dolor de espalda...
- ¿Has hecho un mal gesto o algo?
- No sé, me pasa muchas veces...

4.
- Hola.
- Hola. Uy, estás un poco afónica, ¿no?
- Sí, es que en la escuela, con los niños, no paro de hablar y muchas veces estoy afónica.

 6C

38-41

1.
- Uy, tienes mala cara.
- Es que no estoy bien, me duele mucho una muela. Y ya hace unos días que me duele...
- ¿Te has tomado algo?
- Sí, una aspirina, pero no sirve de nada...
- Pues deberías ir al dentista...

2.
- ¡Hola!
- ¡Hola!
- Uy, estás resfriada, ¿no?

○ Sí, y tengo mucha tos. No he podido dormir en toda la noche.

● Pues tienes que tomar mucha vitamina C: muchas naranjas, kiwis...

3.

● Hola, Carlos.

○ Hola.

● Oye, tienes mala cara. ¿Te pasa algo?

○ Sí, es que tengo un dolor de espalda...

● ¿Has hecho un mal gesto o algo?

○ No sé, me pasa muchas veces...

● Mira, para eso va muy bien un masaje.

○ ¿Sí? ¿Tú crees?

● Sí, sí, yo voy a un fisioterapeuta que es buenísimo. Si quieres te doy su teléfono.

4.

● Hola.

○ Hola. Uy, estás un poco afónica, ¿no?

● Sí, es que en la escuela, con los niños, no paro de hablar y muchas veces estoy afónica.

○ Uy, pues para eso lo mejor es tomar un vaso de agua caliente con miel y limón.

● ¿Ah sí? Yo tomo caramelos de eucalipto, pero lo voy a probar...

7

42

● Hola, Santiago. A ver, cuéntame qué te pasa.

○ No sé, no estoy bien. Últimamente estoy muy nervioso.

● ¿Por algún motivo en concreto?

○ No sé, creo que es porque tengo mucho trabajo y estoy muy estresado.

● Mm... ¿A qué te dedicas?

○ Soy traductor. Yo trabajo en una empresa de traducciones y además estoy haciendo un máster. Por eso estoy viviendo en Madrid, pero yo soy de Bilbao.

● Ah, ¿y desde cuándo vives en Madrid?

○ Desde hace un año.

● Mm... ¿Y te gusta tu trabajo... y el máster que estás haciendo?

○ Sí, sí, me gusta todo mucho, pero el problema es que tengo demasiado trabajo. Estoy ocupado los siete días de la semana. No descanso nada, ni el fin de semana, porque es que no tengo tiempo.

● Eres un poco perfeccionista, ¿no?

○ Bueno, perfeccionista no sé, pero soy muy responsable y me gusta hacer bien mi trabajo... Y a veces siento que no lo hago bien...

● Ya... A ver, ¿me puedes describir un poco mejor cómo te sientes? ¿Te mareas, a veces?

○ Sí, sí, mucho... Ahora estoy mareado, por ejemplo. Tengo náuseas, la cabeza me da vueltas... Y no sé, estoy muy nervioso y estoy preocupado por todo... Y yo normalmente soy una persona muy tranquila.

● ¿Y has perdido el apetito?

○ No, no, todo lo contrario, estoy todo el día comiendo.

12

43-45

Lo primero que debes hacer es afrontar el problema; si sabes que te da miedo hablar en público y tienes que hacerlo, debes empezar a "entrenarte". Puedes hacer varios ensayos en casa, delante de tus amigos o de tu familia; seguro que te dan buenos consejos para mejorar tu técnica. También es útil controlar la respiración. La respiración es como el "motor" del cuerpo: si la controlas, puedes dominar tu nerviosismo. Por eso, en los ensayos y el día de la conferencia, debes intentar respirar de manera pausada.

Cada persona es diferente pero, en general, podemos decir que se deben esperar unos meses antes de empezar una relación. Las personas que han roto con su pareja tienen un sentimiento de pérdida y pasan, casi siempre, por diferentes fases. Al principio no pueden creer que la separación es real, luego vienen la rabia y la tristeza y, finalmente, la aceptación. Tienes que esperar y observarla: ¿crees que lo ha aceptado? ¿O parece aún triste y enfadada? Sobre todo, debes ser paciente.

En primer lugar, hay una cuestión que debes controlar especialmente: tu alimentación. Debes tomar alimentos con mucha fibra (verduras, frutas y cereales integrales) evitar las grasas animales (como embutidos, carnes grasas y mantequilla) y comer preferentemente pescado. De cualquier modo, trabajas muchas horas, demasiadas, y el problema es que siempre estás sentada. Existe un ejercicio para los músculos abdominales que se puede hacer en estos casos: tienes que controlar el abdomen y mantener la contracción durante diez segundos y, luego, descansar durante diez segundos más. Puedes repetir este ejercicio cinco o seis veces cada dos horas.

9. ANTES Y AHORA

3

46

● Buenas tardes, amigos y amigas oyentes. Son las cuatro y siete minutos de la tarde y continuamos en el programa *Tardes de viaje*. Hoy nos acompaña Penélope Asensio, editora de la revista de viajes *Odisea*. Buenas tardes, Penélope.

○ Buenas tardes.

● Tenemos una serie de opiniones de nuestros oyentes que hemos recogido en los últimos meses. Te las vamos a leer y nos gustaría saber qué piensas tú.

○ Ah muy bien, perfecto.

● La primera dice: "Viajar es una experiencia única. La gente que viaja es más interesante." ¿Qué opinas?

○ Mira, yo creo que viajar es fantástico, a mí personalmente me encanta, obviamente; pero hay gente interesantísima que no ha viajado nunca.

● La segunda afirmación dice: "Hoy en día es muy difícil descubrir sitios nuevos y vivir aventuras."

○ Bueno, no sé, creo que eso depende de tu actitud. Si eres aventurero de verdad, puedes encontrar experiencias nuevas en cualquier lugar.

● "Ahora la gente puede viajar mucho más que antes y eso es positivo." ¿Qué piensas?

○ Estoy completamente de acuerdo. Hoy en día todo el mundo viaja y eso es muy bueno. Viajar, coger un avión, un tren o un barco ya no es exclusivo de la gente rica. Cada vez hay más ofertas, más posibilidades de viajar, y eso hace que personas de todas las edades y de todas las clases sociales viajen. Creo que eso es algo muy positivo.

● Ajá. Otra opinión: "Antes todo era más romántico. La gente viajaba en barco, en tren… y ese viaje era parte de la aventura. Ahora todo es demasiado rápido."

○ Mira, creo que eso depende de cómo viajas. El avión es un medio de transporte muy rápido y cómodo, claro, pero todavía hay maneras románticas de viajar: un crucero por el Nilo, el Transiberiano, un viaje a caballo por la Ruta de la Seda…

● Y la última: "Se puede vivir aventuras sin ir muy lejos."

○ Evidentemente. La aventura puede estar en tu propia casa, en un lugar que no conoces de tu ciudad, en un pueblo de tu región. En España hay muchísimos sitios desconocidos y muy interesantes.

● Bueno, Penélope, gracias por tus respuestas.

○ Gracias a vosotros.

● Y ahora vamos a…

7

● Pues hoy en el programa estaremos hablando con personas cuya vida ha cambiado radicalmente en los últimos años. En estos momentos estaremos hablando con Elisa López.

○ Hola, ¿qué tal?

● Elisa es de Argentina. ¿Cómo estás?

○ Muy bien.

● Elisa, tu vida ha cambiado mucho en pocos años, ¿no?

○ Sí, mucho.

● ¿Cómo era tu vida hace cinco años?

○ Bueno, no tenía trabajo y vivía en una casa okupa en las afueras de la ciudad, con mi novio y unos amigos. Cultivábamos verduras en el jardín, vivíamos con muy poco dinero… Lo bueno es que tenía mucho tiempo libre.

● ¿Y ahora?

○ Y ahora tengo un trabajo de responsabilidad en una multinacional y gano mucho más dinero, así que, claro, mi forma de vida es diferente. Vivo en un departamento en el centro de la ciudad, pero casi no estoy allí porque trabajo muchas horas al día y ya no tengo tanto tiempo libre como antes…

● Y no tienes jardín, supongo…

○ No, pero tengo una casa en el campo donde sí tenemos un jardín y todavía me gusta cultivar lechugas, tomates… Me encanta estar en el huerto.

● ¿Y aún estás con tu novio?

○ Sí, todavía estamos juntos. Y también vivimos juntos, aunque ahora nos vemos menos que antes…

10

1. Aprender español es bastante fácil.

2. Las mujeres conducen mejor que los hombres.

3. El cine americano es mejor que el europeo.

4. La comida española es muy buena.

5. El fútbol es un deporte muy aburrido.

10. MOMENTOS ESPECIALES

1

● Mira, esta foto es de cuando estuve en Melpa, en Colombia. En el año 2010.

○ ¡Qué chula! ¿Y este eres tú?

● Sí, y detrás está Olivia, mi amiga colombiana. Estuvimos unos días en un barco, aprendiendo a hacer submarinismo. Allí fue donde empecé.

○ Debe de ser increíble estar ahí, en medio del agua. Pero también debe de dar miedo, ¿no?

● Sí, la verdad es que sí. Mira, el día que hicimos esa foto por la mañana estuvimos buceando en el arrecife y vimos un tiburón.

○ ¿Un tiburón? Qué miedo, ¿no?

● Sí, la verdad es que me quedé paralizado. Pero bueno, la verdad es que luego seguimos buceando y fue fantástico.

2
1.

● ¿Un día que recuerdo intensamente? Sí, sí, sin duda, el 11 de julio de 2010, el día en que España ganó el Mundial de Fútbol de Sudáfrica.

○ ¿Sí? ¿Y dónde estabas?

● Pues mira, me acuerdo perfectamente. Estaba con unos amigos en Madrid, en la Calle Alcalá, mirando el partido en una gran pantalla, de esas que ponen cuando hay partidos importantes. Y nada, había muchísima gente, y fue superemocionante. España, o sea, no marcábamos ni un gol y ya estábamos en la prórroga y todos estábamos supernerviosos. Y va, y entonces, de repente, Iniesta marcó un gol.

○ ¿Y tú qué hiciste entonces?

● Pues me volví loco. Me emocioné y… me emocioné tanto que me puse a llorar de alegría.

○ ¿En serio?

● Sí, te lo juro, es que no sé qué me pasó… Tanta tensión acumulada… Uf, fue un momento increíble. Y luego lo celebré con mis amigos, toda la noche.

2.

● Oye, Emilio, ¿tú has vivido algún acontecimiento importante de la historia de Cuba?

○ Bueno, la verdad es que sí. Recuerdo cuando yo era joven, estaba en el colegio… Fue en agosto del 94, lo que es conocido como la crisis de los balseros.

● ¿Y qué pasó? No recuerdo…

○ Bueno, pues simplemente hubo un conflicto político entre Cuba y Estados Unidos y el gobierno cubano empezó a permitir a los cubanos irse en balsas para Miami.

● Ah, ¿y cómo lo viviste tú?

● Bueno, pues yo, como te decía, era muy joven y recuerdo precisamente un día que estábamos en la playa con unos amigos, varios amigos del colegio y, de pronto, llegó un grupo de personas que se iban en balsas para Miami. Y recuerdo, mi amigo David, que simplemente nos miró, miró la balsa y nos dijo: "Díganle a mi madre que me fui."

● Ostras, qué fuerte, ¿no?

○ Pues sí, la verdad es que fue muy impresionante.

● ¿Y se fue? Decidió irse…

○ Y se fue, y por suerte llegó bien, pero hubo muchos que no llegaron.

3.

● Mi recuerdo más intenso fue el 10 de diciembre de 1983.

○ El 10 de diciembre del 83… ¿Por qué?

● Porque fue el día que recuperamos la democracia en Argentina.

○ Ya, es que salíais de una dictadura muy fuerte.

● Salíamos de 7 años de proceso militar, de dictadura con terrorismo de estado, represión, desaparecidos…

○ Gente que se fue, ¿no?, exiliados…

● Exiliados, la Guerra de Malvinas.

○ ¿Y ese día tú dónde estabas?

● Estaba con la mayoría de la gente en la Plaza de Mayo, repleta…

○ ¿En Buenos Aires?

● En Buenos Aires, con un calor intensísimo, los bomberos echando agua…

○ Era verano.

● Era verano, tenía 17 años y estaba con mis compañeros del colegio, esperando el discurso del nuevo presidente.

○ ¡Qué emoción!, ¿no? ¿Y al final salió el presidente?

● Salió a la noche tarde y recitó el preámbulo de la Constitución y todo el mundo llorando, nos abrazábamos entre desconocidos, todos con todos…

○ ¡Qué fuerte! ¡Qué bonito!

● Y fue el momento más emocionante de la historia reciente de Argentina.

○ ¡Qué bonito!

10B

53-55

1.

El otro día estaba yo en casa de una amiga mía, Jennifer, estudiando, y… ella tuvo que salir a comprar, pero yo me quedé en su casa, y como soy muy curiosa, empecé a mirar en su armario. Jenni tiene unos pantalones de licra que me encantan y no pude resistir la tentación, quería ver cómo me quedaban y me los puse. Me quedaban perfectos. Estaba tan tranquila mirándome en el espejo de su cuarto cuando…

2.

Resulta que hace unos años estuve en Brasil de vacaciones y fui a un restaurante buenísimo, en Río de Janeiro. Tenía un hambre feroz, entonces pedí dos platos. El mozo me dijo alguna cosa, pero yo no lo entendí.

3.

Cuando tenía 18 años, durante un tiempo tuve dos novios, Carlos y Andrés, pero ellos no lo sabían, claro. Era muy complicado, porque tenía que inventar millones de mentiras, excusas, historias… El día de mi cumpleaños me confundí y quedé con los dos en el mismo sitio ya la misma hora. Primero llegó Carlos con un ramo de flores…

10C

56-58

1.

El otro día estaba yo en casa de una amiga mía, Jennifer, estudiando, y… ella tuvo que salir a comprar, pero yo me quedé en su casa, y como soy muy curiosa, empecé a mirar en su armario. Jenni tiene unos pantalones de licra que me encantan y no pude resistir la tentación, quería ver cómo me quedaban y me los puse. Me quedaban perfectos. Estaba tan tranquila mirándome en el espejo de su cuarto cuando… de repente entró ella sin hacer ruido y me encontró allí, mirándome en el espejo. Me quería morir. ¡Qué vergüenza!

2.

Resulta que hace unos años estuve en Brasil de vacaciones y fui a un restaurante buenísimo, en Río de Janeiro. Tenía un hambre feroz, entonces pedí dos platos. El mozo me dijo alguna cosa, pero yo no lo entendí. Al final, llega el mozo con tanta comida que no pude ni acabarme el primer plato. Resulta que allí los platos son enormes. Y el tipo, muy amablemente, puso lo que sobró en una bolsa y me lo llevé.

3.

Cuando tenía 18 años, durante un tiempo tuve dos novios, Carlos y Andrés, pero ellos no lo sabían, claro. Era muy complicado, porque tenía que inventar millones de mentiras, excusas, historias… El día de mi cumpleaños me confundí y quedé con los dos en el mismo sitio y a la misma hora. Primero llegó Carlos con un ramo de flores…y luego Andrés, con otro regalo. Cuando lo vi llegar, me puse roja como un tomate y no fui capaz de decir nada. Me quedé tan paralizada que me entró un ataque de risa y me fui corriendo.

MÁS EJERCICIOS

UNIDAD 1

8

- • Oye, ¿cuánto tiempo hace que vives en España?
- ○ Pues diez años.
- • ¿Diez, ya? Cuánto tiempo, ¿no? ¿Qué tal te va por aquí?
- ○ Muy bien, me gusta mucho.
- • ¿Y a qué te dedicas? Tienes una tienda, ¿no?
- ○ Sí, desde hace cuatro años tengo una tienda de bicicletas y vendo y alquilo bicicletas.
- • ¿Y funciona?
- ○ Sí, funciona muy bien y me gusta mucho. Me encantan las bicicletas, así que en la tienda me lo paso muy bien. Hablo con los clientes... Y eso me ha ayudado mucho a mejorar mi español. Lo hablo desde los 15 años, pero en España he aprendido mucho.
- • Además tu marido es español, ¿no?
- ○ No, mi marido es alemán, pero nuestros hijos van a la escuela aquí y en casa entre ellos hablan muchas veces español.
- • ¿Piensas quedarte a vivir en España?
- ○ Sí, creo que por el momento sí. Estamos muy bien aquí, ¡no queremos ir a ningún sitio!
- • Pero supongo que vais a Alemania de vez en cuando...
- ○ No mucho, la verdad. ¡Hace un año que no vamos!

15

1.
- • Mi amiga habla muy bien inglés porque va a una escuela bilingüe.
- ○ ¿Por qué estudias español?

2.
- • Creo que ver películas en versión original va muy bien para aprender una lengua.
- ○ ¿Qué te gusta hacer en clase?

3.
- • Me siento inseguro cuando hablo en español.
- ○ ¿Cuándo usas el español?

4.
- • ¿Cómo te sientes en clase?
- ○ En la clase de lengua los estudiantes pueden sentir emociones como la ansiedad, el miedo o la frustración.

UNIDAD 2

6
- • Me han dicho que viviste un año en un pequeño pueblo de Bolivia, con una comunidad indígena.

- ○ Sí, es que soy antropóloga y lingüista e hice un doctorado sobre los indios aimaras y sobre su lengua también.
- • Qué interesante, ¿no?
- ○ Sí, mucho. Es lo mejor que hice en mi vida. Aprendí muchísimo.
- • ¿Y qué hiciste allí aparte del doctorado?
- ○ Pues muchas cosas. Trabajé como voluntaria en una escuela dando clases de español, participé en un proyecto de reconstrucción de una iglesia, con dos misioneros, creé un programa de radio...
- • ¿Sí? ¿Sobre qué?
- ○ Sobre los aimaras: su lengua, su historia, sus leyendas, su situación actual...
- • Qué bien...
- ○ Sí, y también hice muchas excursiones, viajé por toda Bolivia y por otros países de América Latina... Hice muchas cosas, aproveché mucho el tiempo, la verdad.
- • ¿Y no te dio pena irte?
- ○ Sí, la verdad es que sí, mucho. Pero bueno, ahora vuelvo cada año y paso allí uno o dos meses.

14

estudié
estuve
tuve
comí
vine
nació
quiso
dijo
escribió

UNIDAD 3

4

Hay una televisión encima de la mesa.
Entre el sofá y la mesa hay una silla.
El microondas está encima del sofá.
Hay una lámpara en el suelo, al lado de la mesa.
Debajo de la mesa hay un jarrón con flores.
Hay una alfombra al lado del sofá.
Hay un cojín encima del sofá.

10

alquilar
cuadrado
tuyo
hay
cocina
habitación
parquet
balcón
terraza
acogedor
clásico
gusto

centro
silla
suyo
cojín
cuadro
afuera
ruidoso
barata
pequeña
gastar
ayuda
jardín
imaginar
espejo
gente
madera
hogar
terraza
oscuro
revista

UNIDAD 4

2
66

1. Buenos días, ¿qué desea?

2. ¿Qué les pongo?

3. ¿Me pones un café con leche, por favor?

4. Mira, te presento a Ana.

5. ¿Te importa si cierro la ventana? Es que hace mucho frío.

13
67

Susan: papá, cuánto, quedamos, pedir, tener
Susana: tiempo, camarero, fantástico, contacto, puerta

14
68

Pepe Pecas pica papas con un pico. Con un pico pica papas Pepe Pecas.

Si verte fuera la muerte y no verte tener vida, prefiero la muerte y verte, que no verte y tener vida.

El que poco coco come, poco coco compra; como yo poco coco como, poco coco compro.

UNIDAD 5

11
69

• Hola, Andrea.
◦ Hola.
• ¿Qué tal la vida en Valencia?
◦ Muy bien, me gusta mucho la ciudad.
• ¿Y cuánto tiempo vas a estar?

◦ Pues voy a estar solo un semestre.
• ¿Y qué planes tienes?
◦ Quiero descubrirla ciudad a fondo. Y aún no domino mucho el español, así que pienso ir a clases diarias de español.
• Ah, claro.
◦ Y quiero conocer mejor la historia de España y tomar algunas clases optativas de historia...
• Y seguro que quieres divertirte también, ¿no?
◦ Claro, y quiero salir por ahí y conocer mucha gente.
• Bueno, pues si necesitas algo ya sabes.

13
70

discoteca
copa
excursión
Cuba
cóctel
cerrado
conocer
ciudad
cine
cenar
clásico
kárate
Nueva York
karaoke
anorak
quedar
que
quien
alquilar
directo
ocio
Venezuela
Iguazú
zoo
trazo
diez
vez
veces
naturaleza

UNIDAD 6

14
71

1. ¿Te apetece una cerveza en esta terraza?

2. Hay que comprar arroz, cereales, manzanas y azúcar.

3. No me gusta mucho el chorizo, pero a veces lo como.

4. El queso Idiazábal tiene denominación de origen.

5. Necesito la receta para hacer el gazpacho.

15

72

1. Yo voy a pedir pollo al ajillo.

2. Siempre desayuno un yogur y galletitas.

3. No me gusta nada la tortilla con cebolla.

4. ¿Nos llevamos bocadillos a la playa?

UNIDAD 7

 1

73

• Mira, y esto son las cataratas de Iguazú. ¡Qué lugar tan increíble! Estás en medio de la selva, rodeado de cascadas de agua...
○ Sí, la foto es superchula. ¿Y esto qué es?
• Son las misiones jesuíticas de San Ignacio. Fuimos allí después de las cataratas y nos gustó mucho el lugar. Esta puerta se conserva bastante bien.
○ Sí, ¡qué original!
• Y mira, aquí estamos en una excursión por la zona fronteriza entre Argentina y Chile, en Los Andes. Allí subimos a un lugar que está a más de 4000 metros de altura. ¡Qué frío! Y en pleno verano, ¿eh? Pero nos lo pasamos genial.
○ Y esto son pingüinos, ¿no?
• Sí, dimos un paseo al lado del mar y vimos muchos pingüinos. Nos pareció muy curioso. Es en la península de Valdés, una zona donde hay muchos animales de esos: pingüinos, lobos marinos...
○ ¡Qué interesante!

 11

74

1. Ayer cené en un restaurante buenísimo.

2. ¡Me lo pasé genial en la fiesta!

3. ¡Hemos estado en Málaga!

4. ¡Me encantó esa película!

5. Los padres de Marta me caen fatal.

6. El señor de los anillos es mi película favorita.

7. ¡Es la ciudad más bonita del mundo!

8. Ayer no fui a clase.

9. Me pareció excelente.

10. ¡Tu novia me cayó muy bien!

 12

75

1. ¡Ayer cené en un restaurante buenísimo!

2. ¡Los padres de Marta me caen fatal!

3. ¡El señor de los anillos es mi película favorita!

4. ¡Ayer no fui a clase!

5. ¡Me pareció excelente!

UNIDAD 8

 12

76

• Bienvenidos al programa *Vida saludable*. Hoy tenemos con nosotros a la doctora María Ugarte, que está aquí para resolver las consultas de nuestros oyentes. Buenos días, doctora.
○ Buenos días.
• Bueno, ¿pasamos a nuestra primera llamada?
○ Claro.
• Pues venga. Es de Ramón García. Vamos a escuchar lo que dice.
■ Hola... Bueno, llamo porque muy a menudo estoy afónico. Me duele mucho la garganta y a veces me quedo casi sin voz... Me gustaría saber si me pueden dar alguna solución.
○ Bueno, Ramón, no has dicho si tienes un trabajo que te obliga a hablar mucho. En ese caso, tienes que aprender a controlar tu voz y para eso va muy bien hacer ejercicios de respiración. Habla bajo para no forzar las cuerdas vocales e intenta no chillar. Pero te voy a dar otros consejos que te pueden ayudar a prevenir la afonía: si fumas, debes dejarlo porque es muy malo para la garganta. Además, debes evitar las bebidas muy frías y las bebidas alcohólicas. Y ahora te voy a explicar cómo preparar algunos remedios para tratarla, ¿de acuerdo? El primero es una infusión de tomillo con miel y limón. Hierves un vaso de agua y añades un poco de tomillo, zumo de limón y una cucharada de miel. Déjalo reposar durante 10 minutos y tómatelo. El segundo es aún más fácil: come piña o bebe zumo de piña. La piña tiene ingredientes que ayudan a revitalizar las cuerdas vocales.

 14

77

1. quitar - quita - quítate

2. lavar - lava - lávate

3. cubrir - cubre - cúbrete

4. hidratar - hidrata - hidrátalos

5. secar - seca - sécalos

6. relajar - relaja - relájate

UNIDAD 9

 4

78

• ¡Mira qué mona! ¿Esta eres tú? ¿Y ese gato?
○ Es Bicho. Era el gato de mi abuela. Es que yo a los 12 años vivía con mi abuela, ¿sabes?
• Ah, no, no lo sabía
○ Pues sí...
• Uau, ¡en esta foto estás superdiferente!
○ Sí, tenía 15 años, era adolescente...
• ¿Y salías mucho?

○ No te creas, no tenía muchos amigos en aquel momento.

● ¿En serio? Me cuesta creerlo, ¿no? Con lo sociable que eres...

○ Sí, ahora, pero entonces era un poco tímida.

● Mm... En esta eras un poco más mayor, ¿no? ¡Estás guapísima!

○ Sí... tenía 20 años y trabajaba de modelo mientras estudiaba.

● Es que eras muy guapa, tía... Bueno, ahora también, ¿eh?

○ Mira, este es Robert. Salí con él cuando vivía en Nueva York. Era fotógrafo.

● Qué guapo, ¿eh?

● Sí, pero no funcionó... Yo tenía 30 años y él 20.

13

79

1. día

2. policía

3. farmacia

4. pedían

5. vial

6. salíamos

7. teníais

8. seria

9. quería

10. vía

14

80

1. Cuando tenía 12 años ya medía 1,70 m.

2. Nos tenemos que ir ya, son las ocho y media.

3. Mi abuela era una mujer muy sabia.

4. Mi hermana pequeña sabía leer a los 4 años.

5. No estuve mucho rato en la playa, hacía demasiado calor.

6. Toma el metro hacia Plaza de España y bájate en la segunda parada.

UNIDAD 10

13

81 - 83

1.

El otro día quedé con Alberto, mi exnovio. Siempre quedamos más o menos una vez al año para cenar y hablar de cómo va todo... Pero resulta que mi novio me dijo que había reservado mesa en un restaurante. Y como no quería decirle que había quedado con mi ex, pues cené dos veces. Fui primero a cenar con Alberto y luego cené otra vez con mi novio. ¡No podía más, estaba llenísima!

2.

Hace unos años fui de vacaciones a Montenegro con unos amigos. Estaba en la playa y, de repente, me pareció ver a Benicio del Toro, que es un actor que me encanta. Entonces, claro, fui corriendo a pedirle un autógrafo, pero resulta que no era él, sino que era alguien que se parecía mucho a él. Pasé una vergüenza... Pero el chico se lo tomó muy bien. Me dijo que no era la primera persona que lo confundía con Benicio del Toro. Así que empezamos a hablar y me invitó a salir por la noche con unos amigos suyos. Lo pasé muy bien.

3.

Una vez fui a un concierto con tres amigas. El concierto era en un pueblo en el medio de la montaña y terminó bastante tarde. Cuando volvíamos, nos quedamos sin gasolina en una carretera en el medio del bosque y estaba muy oscuro. Pasé muchísimo miedo.

15

84

llegar - llegué
empezar - empecé
buscar - busqué
averiguar - averigüé

SOLUCIONES
MÁS EJERCICIOS

1. EL ESPAÑOL Y TÚ

2.

1. porque

2. para

3. porque

4. porque

5. para

6. porque

7. porque

8. porque

4.

Jutta Schneider **tiene** 38 años y hace cuatro que **vive** en Oviedo. Es profesora de alemán y **trabaja** en una escuela de idiomas. Tiene las mañanas libres y por eso **se levanta** un poco tarde y **desayuna** en un bar. **Trabaja** toda la tarde hasta las ocho y por las noches **estudia** un poco de español, **ve** la tele y **lee**, especialmente novelas de ciencia ficción. **Habla** muy bien español y le gusta mucho España. Todavía no **quiere** volver a Alemania.

5.

Me levanto a las 8 h, **me ducho**, **me visto** y sobre las 9 h **salgo** de casa. **Tengo** la clínica muy cerca de mi casa, así que **puedo** desayunar tranquilamente en un bar antes de abrir. **Empiezo** a trabajar a las 9:30 h y a mediodía **cierro** de 14 a 16:30 h. Por la tarde **trabajo** hasta las 20 h. La verdad es que el día pasa bastante rápido porque me encanta mi trabajo. Desde pequeña **siento** un cariño especial por los animales y poder ayudarlos es muy gratificante.

María es **veterinaria**.

7.

Sugerencia

a. ¿Cuánto tiempo hace que estudias español?

b. ¿Desde cuándo vives en Berlín?

c. ¿Desde cuándo sales con tu pareja?

d. ¿Cuánto tiempo llevas en España?

8.

1. diez años

2. cuatro años

3. los 15 años

4. vive en España

5. un año

9.

1. cuesta

2. va

3. cuestan

4. cuesta

5. va

6. cuesta

7. va

8. cuestan

10.

Sugerencia

1. Para aprender vocabulario va muy bien buscar palabras en el diccionario.

2. Para entender a la gente lo mejor es hablar con españoles.

3. Para hablar con fluidez lo mejor es perder el miedo y hablar mucho.

4. Para practicar los verbos tienes que hacer muchos ejercicios.

5. Para no tener problemas con el orden de las palabras va muy bien repetir muchas veces la misma frase.

6. Para pronunciar mejor va muy bien escuchar canciones y ver la tele.

7. Para escribir correctamente tienes que leer mucho.

12.

1. F

2. E

3. B

4. A

5. G

6. D

7. C

14.

1.

a. porque

b. por qué

2.

a. cuando

b. cuándo

3.

a. que

b. qué

4.

a. cómo

b. como

16.

1. portugués
2. italiano
3. vasco
4. náhuatl
5. taíno
6. griego
7. árabe
8. inglés
9. latín
10. francés
11. alemán
12. catalán
13. quechua

18.

ansiedad, frustrado/-a, diversión, ilusión, ridículo/-a, entusiasmo

2. UNA VIDA DE PELÍCULA

1.

1. pintó
2. escribió
3. ganaron
4. fue
5. grabaron
6. recibió
7. estuvo

2.

2. *Abre los ojos*
3. *Mar adentro*
4. Por la situación política en Chile.
5. 2004
6. *Los otros*

5.

ESTUDIAR	COMER
estudié	comí
estudiaste	comiste
estudió	comió
estudiamos	comimos
estudiasteis	comisteis
estudiaron	comieron

VIVIR	TENER
viví	tuve
viviste	tuviste
vivió	tuvo
vivimos	tuvimos
vivisteis	tuvisteis
vivieron	tuvieron

6.

1. a
2. b
3. c
4. d

7.

1. Cristóbal Colón
2. Gabriel García Márquez
3. El zar Alejandro II
4. Unos colonos holandeses
5. Los hermanos Grimm
6. Los españoles
7. Enrique VIII
8. Los beatles

8.

LLEGAR	VENDER
llegué	vendí
llegaste	vendiste
llegó	vendió
llegamos	vendimos
llegasteis	vendisteis
llegaron	vendieron

RECIBIR	TENER
recibí	tuve
recibiste	tuviste
recibió	tuvo
recibimos	tuvimos
recibisteis	tuvisteis
recibieron	tuvieron

COMPRAR	PERDER
compré	perdí
compraste	perdiste
compró	perdió
compramos	perdimos
comprasteis	perdisteis
compraron	perdieron

ESCRIBIR	COMPONER
escribí	compuse
escribiste	compusiste
escribió	compuso
escribimos	compusimos
escribisteis	compusisteis
escribieron	compusieron

9.

(De menos reciente a más reciente)

1. a mediados de los 50

2. en 1975

3. a principios de los 80

4. a finales del siglo pasado

5. hace 4 años

6. el verano pasado

7. hace una semana

8. anteayer

9. ayer

12.

1. de / desde, a / hasta

2. desde

3. hace

4. de / desde, a / hasta

5. hasta / durante

6. hace

7. desde / hasta

8. desde

9. después

10. durante

13.

nació, se fue, se sintió, aprendió, empezó
empezó, se hizo, mantuvo, tuvo, estuvo
regresó, colaboró, hizo, se publicó, murió

14.

En la primera y en la tercera persona del singular de los verbos regulares, la sílaba tónica es la **última**.

En la primera y en la tercera persona del singular de los verbos irregulares, la sílaba tónica es la **penúltima**.

15.

1. película de terror

2. protagonista

3. estrenar

4. premio

5. largometraje

17.

hacerse rico, famoso
tener suerte, un romance, éxito, una medalla
ganar un premio, una medalla
cambiar de casa, de trabajo

19.

1. me fui   **2.** fui

3. HOGAR, DULCE HOGAR

3.

Sugerencia

(Foto izquierda)

1. estantería de madera

2. cuadro de arte abstracto

3. sofá verde de tela

4. taburete de plástico y metal

5. mesa blanca de madera

6. silla blanca de madera

(Foto derecha)

1. estantería de madera para cedés

2. sofá esquinero de cinco plazas

3. florero de metal

4. mesa de TV de madera

5. mesa de centro de madera

6. alfombra blanca

4.

1. La lámpara no está delante del frigorífico, está al lado de la mesa.

2. La silla no está encima de la mesa, está entre la mesa y el sofá.

3. El microondas no está encima de la alfombra, está encima del sofá.

5.

Sugerencia

1. La casa de Julio tiene tantos balcones como la de Pepe.

2. El piso de Pepe es más pequeño que el de Julio

3. La casa de Julio tiene más baños que la de Pepe.

4. La casa de Pepe es más barata que la de Pepe.

5. El piso de Julio está más cerca del centro que el de Pepe.

10.

COMO *CASA*	COMO *YO*	COMO *PERRO*	COMO *JAMÓN*
alquilar	tuyo	ruidoso	acogedor
cuadrado	silla	terraza	cojín
cocina	suyo	revista	jardín
parqué	ayuda		imaginar
balcón			espejo
clásico			gente
cuadro			
pequeña			

COMO *CINE*	COMO *ISLA*	COMO *PERO*	COMO *GATO*
habitación	hay	afuera	gusto
terraza		barata	gastar
centro		madera	hogar
		oscuro	

12.

Sugerencia

1. plantas: **terraza**
2. cafetera: **cocina**
3. sillón: **salón**
4. lámpara: **dormitorio**
5. mesa: **salón**
6. frigorífico: **cocina**
7. estantería: **salón**
8. bañera: **baño**
9. equipo de música: **salón**
10. mesilla de noche: **dormitorio**
11. lavadora: **baño**
12. armario: **dormitorio**
13. cuadro: **recibidor**
14. espejo: **recibidor**
15. horno: **cocina**
16. televisión: **salón**

13.

SER	ESTAR
un sillón	unas plantas
un frigorífico	una cafetera
un equipo de música	una lámpara
un armario	una mesa
un cuadro	una estantería
un espejo	una bañera
un horno	una mesilla de noche
	una lavadora
	una televisión

14.

(De arriba abajo y de izquierda a derecha)

mesa de madera, mesa de cristal, sofá de tela, sofá de piel, silla de plástico, silla de metal

17.

Sugerencia

es acogedora / grande / muy luminoso / tranquilo / espaciosa

está bien comunicada / en el centro / en la sierra / en perfecto estado / a cinco minutos del mar

tiene una cocina americana / balcón con vistas / parqué / mucho espacio / unos 70 metros cuadrados

da a una calle con mucho tráfico / a una calle peatonal / a un parque / al mar / al campo

4. ¿CÓMO VA TODO?

1.

TÚ	VOSOTROS	USTED	USTEDES
sabes	sabéis	sabe	saben
tienes	tenéis	tiene	tienen
compras	compráis	compra	compran
vives	vivís	vive	viven
estás	estáis	está	están
vas	vais	va	van
eres	sois	es	son
haces	hacéis	hace	hacen
quieres	queréis	quiere	quieren
comprendes	comprendéis	comprende	comprenden

2.

1. usted: desea

2. usted: les

3. tú: pones

4. tú: mira, te

5. usted: le

6. tú: dejas

3.

oír

caer

leer

construir

dormir

decir

vestirse

sentir

ir

venir

4.

2. Mateo está mirando por la ventana.

3. Sam está jugando al fútbol.

4. Julia está comiendo.

5. Susan está hablando por teléfono.

6. Hans está haciendo yoga.

7. John está escuchando música

8. Cristina está escribiendo.

9. Yuri está leyendo el periódico.

10. La profesora está durmiendo.

6.

Sugerencia

2. Estamos viendo muchas películas.

3. Estamos haciendo muchos ejercicios de gramática.

4. Estamos participando en muchas actividades fuera de la escuela.

5. Estamos aprendiendo muchas cosas sobre los países hispanos.

6. Estamos escribiendo muchas redacciones.

7.

1. me pone

2. te importa si

3. dejarme

4. me dejas

5. tienes

6. puedo

8.

Sugerencia

1. en un bar

2. en un piso compartido

3. en clase

4. en un bar

5. en una terraza

6. en la escuela

9.

¿ME DEJAS...?	¿ME DAS...?
la goma de borrar	un poco de agua
tu diccionario	un caramelo
tu chaqueta	fuego
un bolígrafo	
cinco euros	

10.

Sugerencia

1.

• No, no, en absoluto.

○ Sí... Es que estoy resfriado.

2.

• Sí, sí, claro.

○ No, lo siento, no tengo teléfono fijo.

3.

• Sí, claro, aquí tienes.

○ No, lo siento, es que lo estoy usando yo.

4.

• Sí, toma.

○ No, es que no llevo nada suelto.

5.

• Sí, sí, claro.

○ No... es que no es mía, es de mi padre...

6.

• Sí, ¡sube!

○ Es que justo ahora salía...

7.

• Sí, claro, toma.

○ No, es que solo me queda uno...

8.
- No, no me importa.
- Es que después en la playa no vamos a encontrar chicles...

12.

Sugerencia

muy formal

1. ¿Me podrías dejar tu bicicleta, por favor? Es que me voy de excursión mañana y la mía está rota.

2. ¿Podría quitarme los zapatos?

formalidad media

1. ¿Me puedes dejar tu bici para hacer una excursión?

2. ¿Me puedo quitar los zapatos?

poco formal

1. ¿Me dejas tu bici?

2. ¿Me dejas quitarme los zapatos?

13.

papá: Susan
cuánto: Susan
tiempo: Susana
quedamos: Susan
pedir: Susan
camarero: Susana
fantástico: Susana
tener: Susan
contacto: Susana
puerta: Susana

15.

¡hasta luego!
¡nos vemos!
¿cómo va todo?
¿qué tal?
¿qué tal va todo?
¿cómo estás?
¡hasta mañana!

16.

saludos: ¿cómo va todo?, ¿qué tal?, ¿qué tal va todo?, ¿cómo estás?

despedidas: ¡hasta luego!, ¡hasta mañana!, ¡nos vemos!

5. GUÍA DEL OCIO

1.

Sugerencia

1. Berlín Cabaret
2. Museo Thyssen-Bornemisza
3. Casa Patas
4. Joy Eslava
5. Casa Patas
6. Berlín Cabaret
7. Cine Cinesa Príncipe Pío
8. Museo Reina Sofía
9. Museo del Prado

2.

Lo imprescindible
Tapas
Dónde comer
Dónde salir
Flamenco
Excursiones

5.

1. vuelto
2. resuelto
3. visto
4. escrito
5. hecho
6. freído / frito
7. abierto
8. cubierto
9. puesto
10. dicho

6.

Sugerencia

2. Ha viajado en metro.
3. Ha hablado con su madre por teléfono.
4. Ha cenado en un restaurante italiano.
5. Ha tomado un café.
6. Ha leído una novela.
7. Ha escrito una carta.
8. Ha hecho muchas fotos.
9. Ha recibido un regalo.
10. Ha ido al cine con unos amigos.

9.

2. Arturo Pérez Reverte ha publicado una nueva novela.

3. El Real Madrid ha ganado al Barcelona.

4. Ha habido un temporal en el norte.

5. El Ministro del Interior ha dimitido.

6. El Gobierno ha prometido mejoras a los sindicatos que no han contentado a la mayoría de los trabajadores.

11.

Quiero descubrir, pienso ir

Quiero conocer

Quiero salir

12.

Experiencias

Ha comido mucha carne.

Ha probado la cerveza argentina Quilmes.

Ha visto todo lo que debe ver un turista en Buenos Aires.

Ha ido al cementerio de La Chacarita y ha visitado la tumba de Carlos Gardel.

Ha hecho una excursión en barco.

Ha visto montones de focas.

Ha recibido un correo electrónico de Cecilia.

Planes

Va a ver un espectáculo de tango.

Va a ir a Ushuaia.

Va a quedarse un par de días más en Ushuaia.

Va a ir en avión a Río Gallegos para ver el Perito Moreno.

Va a hacer una excursión a Península Valdés para ver las ballenas.

Va a ver a Cecilia y va a conocer al novio argentino de Cecilia.

13.

/k/	/θ/
copa	zoo
alquilar	cenar
excursión	ocio
Cuba	diez
clásico	trazo
Nueva York	vez
anorak	Iguazú
quien	conocer
directo	cerrado
quedar	ciudad
karaoke	cine
cóctel	Venezuela
kárate	veces
discoteca	naturaleza
qué	

14.

sonido /k/

Se escribe **c** delante de **a**, **o** y **u**. También se escribe **c** en posición final de sílaba. Se escribe **qu** delante de las vocales **e** e **i**. Se escribe **k** en algunas palabras procedentes de otras lenguas.

sonido /θ/

Se escribe **z** delante de **a**, **o** y **u**. También se escribe **z** en posición final de sílaba y en posición final de palabra. Se escribe **c** delante de las vocales **e** e **i**.

19.

1. parque

2. museo

3. tienda

4. bar

6. NO COMO CARNE

4.

Sugerencia

2. Tienes que comer mucha fruta y verdura.

3. Tienes que beber mucha agua.

4. Hay que evitar el alcohol.

5. Tienes que hacer yoga.

6. Hay que caminar una media hora al día.

6.

2. la, la

3. los

4. lo

5. las, las, las

6. los

7. la

8. las

9. lo, lo

10. las

8.

3. Los cereales, los ha puesto en el armario.

4. Las magdalenas, las ha puesto en el armario.

5. Las naranjas, las ha guardado en el armario.

6. El azúcar, lo ha metido en el armario.

7. La pasta, la ha puesto en el armario.

8. La miel, la ha puesto en el armario.

9. El aceite, lo ha guardado en el armario.

10. Las manzanas, las ha puesto en la nevera.

11. El pescado, lo ha puesto en la nevera.

12. La leche, la ha metido en la nevera.

13. El queso, lo ha guardado en la nevera.

14. La carne, la ha puesto en la nevera.

15. Las peras, las ha puesto en la nevera.

16. La piña, la ha guardado en la nevera.

17. Los tomates, los ha metido en la nevera.

9.

1. g

2. b

3. a

4. e

5. f

6. j

7. d

8. c

9. h

10. i

10.

Sugerencia

1. es muy guapo.

2. es muy buena persona.

3. está fría.

4. está un poco salada.

5. tengo jardín.

6. es muy caro.

7. trabaja muchas horas.

8. le pagan muy bien.

9. lleva una vida muy sana.

10. no cuida mucho su alimentación.

11.

1. j

2. d

3. a

4. g

5. i

6. b

7. c

8. f

9. e

10. h

14.

1. Valladolid

2. Valladolid

3. Bogotá

4. Valladolid

5. Bogotá

15.

1. Barcelona

2. Buenos Aires

3. Buenos Aires

4. Barcelona

16.

(De arriba abajo y de izquierda a derecha)

freír

cocer

calentar

asar

pelar

cortar

echar

lavar

hacer a la plancha

congelar

batir

17.

Sugerencia

Las naranjas se pelan.

El arroz se cuece.

El pescado se fríe, se hace a la plancha, se asa.

La carne se fríe, se hace a la plancha, se congela.

Los huevos se fríen, se baten.

El melón se corta.

La leche se calienta.

La pasta se cuece, se calienta.

18.

Sugerencia

una barra de pan

una lata de atún

una docena de huevos

un paquete de café

un trozo de queso

una tableta de chocolate

una botella de vino

un cartón de leche

una caja de bombones

una bolsa de patatas fritas

19.

limón, sal, cerveza, fresas

21.

2. setenta y ocho kilos

3. treinta y tres centilitros

4. trescientos cincuenta y cinco gramos

5. un cuarto de kilo

6. setecientos cincuenta mililitros

7. seis litros

8. medio litro

9. novecientos gramos

7. NOS GUSTÓ MUCHO

1.

¡qué lugar tan increíble!, nos gustó mucho, ¡qué original!, ¡qué frío!, nos lo pasamos genial, nos pareció, ¡qué interesante!

4.

1. fuimos, visteis, encantó

2. has estado, he estado

3. pareció, gustó, gustó, pareció

4. fuimos, lo pasamos

5. he estado, fui, gustó, pareció

6. has estado, he estado, estuve, volví

7. pareció, gustó

8. fuiste, fui, pareció, encantó

5.

PRETÉRITO PERFECTO	PRETÉRITO INDEFINIDO
han dormido	durmieron
hemos ido	fuimos
he visto	vi
ha querido	quiso
habéis tenido	tuvisteis
han salido	salieron
ha habido	hubo
has puesto	pusiste
he venido	vine

7.

Sugerencia

Fue a clase de Historia. Le pareció muy interesante.

Intentó leer un artículo de economía. Le pareció aburrido.

Fue a una exposición de fotografía. No le gustó nada.

Fue al cine a ver *El cielo gira*. Le encantó, le pareció buenísima.

Fue a un restaurante nuevo. No le pareció nada especial.

Conoció a la amiga de Azucena. Le gustó mucho, le pareció guapa, inteligente y simpática.

8.

1. b

2. a

3. f

4. d

5. e

6. c

9.

1. le

2. se, les

3. la, me

4. le, le, lo

5. lo, me

11.

1. Ayer cené en un restaurante buenísimo.

2. ¡Me lo pasé genial en la fiesta!

3. ¡Hemos estado en Málaga!

4. ¡Me encantó esa película!

5. Los padres de Marta me caen fatal.

6. *El señor de los anillos* es mi película favorita.

7. ¡Es la ciudad más bonita del mundo!

8. Ayer no fui a clase.

9. Me pareció excelente.

10. ¡Tu novia me cayó muy bien!

12.

1. ¡Ayer cené en un restaurante buenísimo!

5. ¡Los padres de Marta me caen fatal!

6. ¡*El señor de los anillos* es mi película favorita!

8. ¡Ayer no fui a clase!

9. ¡Me pareció excelente!

13.

Sugerencia

lugares: increíble, impresionante, espectacular

películas: excelente, divertida, taquillera

libros: interesante, aburrido, buenísimo

14.

¡qué envidia!

¡qué interesante!

¡qué suerte!

¡qué caro!

¡qué pena!

15.

1. genial

2. bien

3. rollo

4. maravilla

5. increíble

6. buenísima

7. buenísimo

8. ESTAMOS MUY BIEN

1.

Para cuidar los ojos tienes que ponerte gafas de sol en verano.

Para proteger el pelo del sol tienes que cubrirte la cabeza con un gorro.

Para cuidar los pies debes utilizar siempre un calzado cómodo.

Es muy bueno para las piernas caminar 30 minutos al día.

Hacer natación va bien para fortalecer la espalda.

Para cuidar la espalda lo mejor es dormir de lado.

Si quieres tener un pelo sano tienes que comer muchas frutas y verduras.

2.

Sugerencia

Debes comer mucha fruta y verdura.

Tienes que beber mucha agua.

Intenta evitar el alcohol.

Es bueno caminar una media hora al día.

No es bueno fumar.

Puedes hacer un deporte activo.

Lo mejor es dormir muchas horas.

3.

1. le duele

2. mareada

3. le duelen

4. me duelen

5. tiene dolor de

6. enfermo

4.

1. ¿Qué te pasa?

2. ¿Qué te ha pasado?, ¿Y te duele mucho?

3. ¿Qué tal? ¿Estás mejor?

4. Tienes mala cara. ¿Estás bien?

6.

CAUSAS

los problemas laborales

los problemas familiares

los problemas de salud

un acontecimiento personal importante

los problemas financieros

el rendimiento escolar

el tráfico

SOLUCIONES

medicamentos

hacer deporte

cambiar el estilo de vida

ir a terapia con un especialista

7.

1. es

2. estoy

3. está

4. está, es

5. es

6. es, está

7. está, son

8. es, está

9. es, está

8.

Sugerencia

guapo/-a puede ir con **ser** y **estar**. Ejemplos:

El novio de Cristina es muy guapo.

¿Es nuevo tu vestido, verdad? Estás muy guapa.

bien puede ir con **estar**. Ejemplo:

No estoy bien, estoy un poco mareado.

cansado/-a puede ir con **estar**. Ejemplo:

No salimos esta noche, estamos muy cansados.

raro/-a puede ir con **ser** y **estar**. Ejemplos:

Es un chico muy raro, nunca habla con nadie.

¿Qué le pasa a Marcos? Está muy raro últimamente.

arquitecto/-a puede ir con **ser**. Ejemplo:

Mi esposa es arquitecta, trabaja en Londres.

estresado/-a puede ir con **estar**. Ejemplos:

El trabajo me gusta, pero tengo mucho trabajo y estoy un poco estresado.

triste puede ir con **ser** y **estar**. Ejemplos:

Esa película es muy triste. Lloré durante toda la película.

Jaime está muy triste, se ha muerto su abuelo.

9.

COMPRAR	COMER	VIVIR
compra	come	vive
comprad	comed	vivid
compre	coma	viva
compren	coman	vivan

PENSAR	DORMIR	PEDIR
piensa	duerme	pide
pensad	dormid	pedid
piense	duerma	pida
piensen	duerman	pidan

10.

2. poner

3. venir

4. decir

5. ser

6. ir

7. salir

11.

1. bebe

2. disfruta, usa

3. respeta

4. piensa, come

5. sé, hazte

12.

Consejos para prevenir la afonía

Tiene que aprender a **controlar la voz** y para eso va muy bien hacer ejercicios de respiración.

Debe intentar no **chillar**.

Tiene que dejar de **fumar**.

Debe evitar **las bebidas muy frías y las bebidas alcohólicas**.

Remedios para tratar la afonía

Tiene que tomar infusiones de **tomillo con miel y limón**.

Tiene que comer **piña** o beber **zumo de piña** porque **la piña tiene ingredientes que ayudan a revitalizar las cuerdas vocales**.

15.

(De arriba abajo y de izquierda a derecha)

el pelo

los ojos

las mejillas

la nariz

la boca

el cuello

los hombros

los brazos

el estómago

las manos

las piernas

las rodillas

los tobillos

los pies

16.

1. el pádel

2. el fútbol

3. la natación

4. la zumba

5. el submarinismo

17.

estar: resfriado/-a, afónico/-a

tener: migraña, tos, acné, náuseas, anemia

18.

Sugerencia

tener migraña: cabeza

tener tos: pecho, cuello, garganta

tener acné: cara, espalda, hombros

tener náuseas: estómago

estar resfriado: cabeza, pecho, cuello, garganta

tener anemia: todo el cuerpo, sangre

estar afónico/-a: cuello, garganta, boca

9. ANTES Y AHORA

1.

TRABAJAR	HACER	SALIR
trabajaba	hacía	salía
trabajabas	hacías	salías
trabajaba	hacía	salía
trabajábamos	hacíamos	salíamos
trabajabais	hacíais	salíais
trabajaban	hacían	salían

2.

SER	IR	VER
era	iba	veía
eras	ibas	veías
era	iba	veía
éramos	íbamos	veíamos
érais	íbais	veíais
eran	iban	veían

3.

Sugerencia

ANTES

Vivía en una ciudad.

Trabajaba muchas horas en una oficina.

Era un hombre estresado.

Vestía de forma muy elegante.

Iba muy bien peinado y afeitado.

AHORA

Vive en una isla desierta.

Se dedica a pescar.

No tiene obligaciones y está muy tranquilo.

No necesita llevar mucha ropa.

Lleva el pelo largo y no se afeita.

4.

1. a **3.** c

2. c **4.** c

6.

Se trata de Pablo Picasso.

8.

Sugerencia

1. Los antiguos egipcios tenían una escritura llamada "jeroglífica".

2. Los romanos hablaban latín.

3. Antes del descubrimiento de América, en Europa no había patatas.

4. Los incas vivían en grandes ciudades.

5. A principios del siglo xix el Imperio Turco era enorme.

6. A principios del siglo xx las mujeres no podían votar en casi ningún país del mundo.

7. Durante el franquismo los partidos políticos estaban prohibidos.

8. Antes, la gente tenía más hijos que ahora.

9. En los años 50 la mayoría de españoles no tenía coche.

10. En los años 70 Ibiza era una isla tranquila.

11. Antes los viajes entre Europa y América duraban semanas.

12. Antes de la aparición de internet la gente escribía más cartas que ahora.

9.

Sugerencia

1. ya no es tan caro, ahora hay muchas compañías aéreas de bajo coste.

2. todavía lo es.

3. todavía hay guerras.

4. ya no están tan discriminadas; aunque todavía lo están en algunos países.

5. ya no se puede fumar en lugares públicos.

10.

Sugerencia

1. vivía con mis padres

2. llevaba el pelo largo

3. no había teléfonos móviles

4. llevaba gafas

5. no tenía coche

12.

1. media	**4.** sabía
2. media	**5.** hacía
3. sabia	**6.** hacia

16.

1. el espejo	2. el (horno) microondas

10. MOMENTOS ESPECIALES

1.

1. descubrió	**8.** dio
2. se convirtió	**9.** se internó, formó
3. se produjeron	**10.** entró
4. empezó	**11.** ordenó
5. entró	**12.** autorizó
6. asumió	**13.** puso
7. se aprobó	**14.** renunció

2.

REGULARES

PENSAR	LEVANTARSE	VIVIR
pensé	me levanté	viví
pensaste	te levantaste	viviste
pensó	se levantó	vivió
pensamos	nos levantamos	vivimos
pensasteis	os levantasteis	vivisteis
pensaron	se levantaron	vivieron

IRREGULARES

CONDUCIR	SENTIR	DORMIR
conduje	sentí	dormí
condujiste	sentiste	dormiste
condujo	sintió	durmió
condujimos	sentimos	dormimos
condujisteis	sentisteis	dormisteis
condujeron	sintieron	durmieron

4.

1. tenía

2. llevaba

3. pasé

4. teníamos

5. abrí

6. era

7. venía

8. tuvo

9. conoció

10. era

6.

Sugerencia

1. se fue la luz.

2. sus amigos no quisieron salir.

3. vino la policía.

4. se quemó el motor del autobús y tuvieron que bajar.

5. le robaron a punta de pistola.

7.

1. estaba	**4.** estaban
2. estuvimos	**5.** estaba
3. estuvo	**6.** estuve

8.

resulta que

un día

al día siguiente

entonces

al final

9.

1. G

2. D

3. H

4. B

5. I

6. F

7. K

8. E

9. A

10. C

11. L

12. J

11.

pasó, decidimos, decoramos, preparé, puse, estaba, saqué, di, empezó, tenía, probé, estaba, estaba, volví, invité

13.

1. 1

2. 3

3. 2

4. 3

5. 1

6. 2

7. 2

16.

jugué, utilicé, hizo, marqué, rechacé

17.

1. Me reí un montón

2. Pasé mucha vergüenza

3. Me emocioné

4. Pasé mucho miedo

19.

Sugerencia

morir asesinado/-a

entrar en guerra

dar un golpe de Estado

asumir el gobierno de un país

unirse a un ejército

poner fin a la guerra

pedir un rescate

SOLUCIONES
ESTRATEGIAS

1.
1-B, 2-F, 3-I, 4-E, 5-A, 6-H, 7-G, 8-C, 9-J, 10-D.

5. A.
1. La palabra tachada es un sinónimo de *película*.
2. La palabra tachada quiere decir que mucha gente fue a ver la película y que con ella se ganó mucho dinero.

6. A.
1. *Versión original* significa que las películas están en la lengua de origen, es decir, en este caso en español.

7. B.
A-1, B-2

8. B.
Pasear, tomar el sol, hacer muchas fotos, bañarse, nadar...

C.

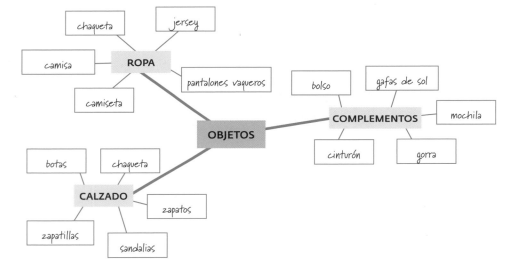

9.
Sugerencia:
• Profesor: Para preguntar por objetos o cosas, usamos **qué** más sustantivo.
○ Alumno: No entiendo muy bien, ¿lo puedes explicar otra vez, por favor?
• Profesor: Por ejemplo, si queremos preguntar a algulien por el perfume que usa, decimos: "¿**Qué** perfume usas?
○ Alumno: Me gusta mucho tu ejemplo, ahora entiendo.

10.
Sugerencia:
Podemos preguntar a un policía o a alguien que pase por la calle: "Perdone, ¿sabe dónde está el hotel Sol y Mar?

SOLUCIONES
LÉXICO

UNIDAD 1

1. A
Sugerencia:
memorizar: palabras y expresiones, textos, canciones
escribir: palabras y expresiones, textos, canciones, un diario, mensajes
ver: películas en versión original
leer: textos, periódicos, revistas
repetir: palabras y expresiones, canciones, en voz alta
buscar: palabras y expresiones, canciones, en el diccionario

1. B
Hacer: exámenes – ~~información~~ ejercicios de léxico – juegos en clase – actividades - deberes
Chatear: con amigos – en internet- con un nativo – ~~de móvil~~ - con el profesor - con un compañero
Hablar: cinco idiomas – ~~una frase~~ - con fluidez – correctamente – español - con fluidez
Trabajar: en grupo- de forma individual – con gente – ~~un intercambio~~ - en parejas - con un compañero

UNIDAD 2

1.
Sugerencia:

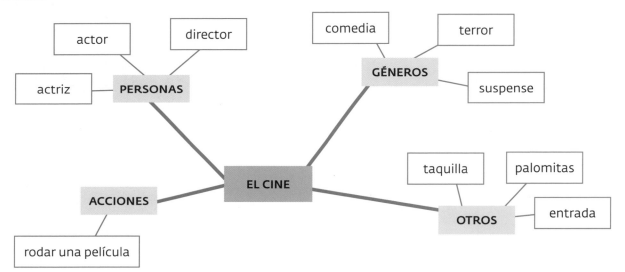

2. A
1-A / B
2-E
3-A
4-C
5-F
6-D

2. B
Sugerencia:
1. Ganar: un partido, dinero
2. Tener: un hijo, 20 años
3. Hacer: deporte, una pizza
4. Llegar: tarde, al trabajo
5. Terminar: de comer, un proyecto
6. Trabajar: mucho, en una escuela

UNIDAD 3

1.

Es: acogedor, un estudio, luminoso, amplio, un chalé, de madera, de cerámica, moderno
Está: bien comunicado, a cinco minutos del centro, sin amueblar, listo para entrar a vivir
Da: a la calle, a una plaza

4.
Sugerencia:
1. una casa **con**: jardín, chimenea, un patio
2. un piso **para**: las vacaciones de verano, estudiantes, una pareja
3. una lámpara **de**: metal, pie
4. una mesa **de**: madera, noche
5. un apartamento **sin**: muebles, vistas

UNIDAD 4

1.
Sugerencia:
dar: permiso, las gracias, cinco euros, un lápiz, una hoja de papel, un vaso de agua, un beso
pedir: un favor, permiso, en un bar, algo a un camarero
dejar: dinero, un libro, cinco euros, una chaqueta, tu coche, la bolsa aquí, dejar de hablar

2. A
- Oye, María, lo siento, me tengo que ir, que llego tarde al trabajo.
- Claro, no te preocupes, mujer, ya nos **vemos** otro día. Dale **recuerdos** a tu marido.

2. B
- ¡Hola, Clara! ¡Qué sorpresa!¡Cuánto tiempo sin **verte**! ¿Qué tal todo?
- Sí, ¡qué alegría verte! Pues bien, la verdad, todo de maravilla. ¿Y tú?
- Bien, la verdad es que no me **puedo quejar / quejo**. He cambiado de trabajo y estoy súper contenta.

2. C
- Oye, Julio, pues ya nos vemos otro día, ¿vale?
- Claro, nos **vemos / llamamos** pronto y tomamos un café. ¡Tenemos que ponernos al día!

3.
1. Perdone, ¿**me pone** un té con leche, por favor?
2. Chicos, ¿**os importa** si apago la calefacción? Es que hace mucho calor.
3. Mario, ¿**me dejas** tu tienda de campaña este fin de semana? Me voy de acampada con unos amigos y no tenemos ninguna.
4. Sabrina, ¿**puedo** utilizar tu ordenador para hacer un trabajo? El mío no tiene batería.

UNIDAD 5

1.
Sugerencia:
nacer- ir a la escuela- ir al instituto- dar el primer beso- enamorarse por primera vez- ir a la universidad- viajar solo por primera vez- acabar los estudios- empezar a trabajar- irse de casa- casarse- comprar una casa- tener un hijo- divorciarse- jubilarse

UNIDAD 6

2. A
Horizontales:
1. aguacate
2. queso
3. huevo
4. jamón

Verticales:
1. arroz
2. aceite
3. leche
4. salmón

3.
Sugerencia:
1.   pelar: calabacín, naranja, plátano, aguacate
2.   cortar: patatas, pepino, tomate, jamón
3.   freír: huevo, filete, patatas
4.   cocer: pasta, arroz, patatas
5.   congelar: carne, lasaña, pescado
6.   asar: pollo, verduras

UNIDAD 7

1.
1-E, 2-D, 3-C, 4-A, 5-F, 6-B

2. A
Sugerencia.
- Me han subido el sueldo 300 euros.
- ¡Qué alegría!

- ¿Sabes que han abierto una nueva librería en el barrio? Hay libros de segunda mano y también organizan actividades con escritores, artistas...
- ¡Qué bien!

- Ayer por la noche me robaron el móvil en un bar.
- ¡Qué pena!

UNIDAD 8

1.
Sugerencia:
1.   besar: boca
2.   tocar el piano: mano
3.   recibir un masaje: espalda
4.   ir en bicicleta: piernas
5.   peinarse: pelo, cabeza
6.   oler una flor: nariz
7.   cantar: garganta
8.   jugar al tenis: brazo

2.
Sugerencia:

ENFERMEDAD O PROBLEMA DE SALUD	PARTE DEL CUERPO RELACIONADA	CONSEJO
Tener acné	Cara	Lavarse la cara todos los días y usar una crema especial.
Quemadura de sol	Piel	Ponerse crema hidratante y cubrir la piel
Dolores de espalda	Espalda	Hacer estiramientos diarios
Obesidad	Todo el cuerpo	Llevar una dieta equilibrada y hacer ejercicio
Dolor de garganta	Garganta	Tomar agua con limón y bebidas calientes con miel

UNIDAD 9

1. A

SALUD	INVENTOS Y DESCUBRIMIENTOS	POLÍTICA
fiebre	rueda	preso
penicilina	penicilina	pena de muerte
enfermedad	imprenta	democracia
esperanza de vida	internet	ley
estómago	ordenador	Constitución
mareado		golpe de estado
náuseas		

1. B
Sugerencia:
Salud: medicamento, enfermo
Inventos y descubrimientos: fuego, bombilla
Política: exilio, dictadura

UNIDAD 10

1.
1-C, 2-E, 3-B, 4-A, 5-D

3.
El martes pasado me pasó una cosa muy divertida. **Resulta que** era el cumpleaños de mi mejor amiga y había organizado una fiesta en su casa con un montón de amigos. Había compañeros de trabajo, amigos de la infancia, de la universidad, etc. **De repente**, mientras hablaba con un grupo de amigas, se me acercó un chico alto y moreno. El chico me dijo: "Hola, Eva. ¿No sabes quién soy?" Yo me quedé muy sorprendida, porque no sabía quién era. El chico me volvió a preguntar: "¿No te acuerdas de mí? ¿De verdad no sabes quién soy?" Yo me puse a pensar y, **entonces**, me di cuenta de que la cara me resultaba familiar. Me fijé en que tenía unos ojos azules preciosos, descubrí que tenía un lunar en la mejilla y, justo **en ese momento**, lo recordé todo: era Luis, un amigo del colegio y el chico de quien estuve enamorada ¡todo un curso! Cuando le dije que sí sabía quién era, los dos nos echamos a reír. ¡Había sido mi primer amor platónico y no lo había reconocido!